HEYNE <

Joachim Bauer

PRINZIP
MENSCHLICHKEIT

Warum wir von Natur aus kooperieren

WILHELM HEYNE VERLAG
MÜNCHEN

Verlagsgruppe Random House FSC-DEU-0100
Das FSC®-zertifizierte Papier *München Super* für dieses Buch
liefert Arctic Paper Mochenwangen GmbH.

6. Auflage
Aktualisierte Taschenbucherstausgabe 09/2008

Der Wilhelm Heyne Verlag, München, ist ein Verlag
der Verlagsgruppe Random House GmbH

Printed in Germany 2013
Umschlaggestaltung: Hauptmann und Kompanie Werbeagentur,
München – Zürich
Umschlagfotos: Flying Colours Ltd (oben links),
Stockbyte (unten links), Peter Cade (oben rechts/unten rechts)
Satz: Dörlemann Satz, Lemförde
Druck und Bindung: GGP Media GmbH, Pößneck

ISBN 978-3-453-63003-1

Inhaltsverzeichnis

Vorwort zur Taschenbuchausgabe

Die naive Frage, ob der Mensch oder die Natur »gut« seien, wird in diesem Buch weder gestellt noch beantwortet. *Prinzip Menschlichkeit* ist ein Sachbuch, das der Frage nachgeht, wie sich der Mensch und seine inneren Antriebe aus moderner neurobiologischer Sicht beschreiben lassen. Was das Potential menschlicher Aggression betrifft, so gehöre ich zu jenen eher skeptischen Zeitgenossen, die es für möglich halten, dass wir uns als menschliche Spezies auslöschen werden. Die Chancen dafür stehen jedenfalls nicht schlecht und sie werden täglich besser. Die zynischen Anhänger des altgriechischen Philosophen Heraklit, der den Krieg für den Vater (!) aller Dinge hielt, werden wohl leider auch in Zukunft auf ihre Kosten kommen. Allerdings vermag es mein Buch, jenen, die sich einer solch zerstörerischen Entwicklung trotz allem entgegenstellen wollen, einige gute Argumente an die Hand zu geben.

Eine der Fragen, denen sich mein Buch zuwendet, gilt einer Feststellung Charles Darwins aus dem Jahre 1871, der zufolge der Mensch einem fortwährenden Konkurrenzkampf ausgesetzt bleiben müsse. Vielen ist bis heute nicht bewusst, welche weit reichenden Folgen – auch im Sinne einer »Self-fullfilling Prophecy« – dieses Statement Darwins hatte: Ernst Haeckel und zahlreiche weitere prominente Vertreter der deutschen Intelligenz, vor allem aus dem Bereich der Medizin und der Psychiatrie, hatten das Denken in den Kategorien der biologischen Auslese in Deutschland auf breiter Front populär gemacht, lange bevor das verbrecherische Regime der Nazis die Ernte dieser Denkweise einfuhr, sie mit weiteren Komponenten anreicherte und unser schönes Land in den Abgrund stürzte. Doch zu glauben, die Angelegenheit hätte hiermit ihr Ende gefunden, wäre ein Irrtum. In Gestalt der Soziobiologie und ihres Science-Fiction-Konstrukts vom »egoistischen Gen« feiert das alte Denken eine glanzvolle Wiederauferstehung. Seine Bedeutung erhält es u.a. als implizite, pseudowissenschaftliche Begründung des derzeit weltweit herrschenden ökonomischen Systems. Für das Weltwirtschaftssystem mag es zutreffen, doch sind Gene wirklich egoistisch?

Als Mediziner, der selbst jahrelang an Genen des Immunsystems und später im Bereich der Neurobiologie erfolgreich geforscht hat, möchte ich in diesem Buch auf zweierlei hinweisen. Zum einen: Gene sind nicht egoistisch, sondern funktionieren als biologische Kooperatoren und Kommunikatoren. Zum anderen möchte ich unter Bezugnahme auf die moderne Hirnforschung darstellen, welche biologische (!) Bedeutung der sozialen Akzeptanz beim Menschen zukommt. Unser Gehirn macht aus Psychologie Biologie. Ein Umstand, der bei Neuroforschern in den USA zum Begriff des »social brain« führte. So wird es meine geschätzten Leser nicht überraschen: »Die Entdeckung des Social Brain« war einer der Titel, die ich einst für dieses Buch angedacht hatte.

Freiburg, im Sommer 2008 *Joachim Bauer*

1.
Leitmotive des Lebens: Kampf oder Kooperation?

Zum Besten, was man in New York gelegentlich über einen anderen hören kann, gehört der mit Hochachtung gesprochene Satz: *»He (she) is a mensch.«* Die Bezeichnung entspricht einer Art Nobelpreis der persönlichen Wertschätzung.[1] Einzelne Personen mögen die Voraussetzungen für dieses Prädikat erfüllen. Was wir jedoch von Natur aus sind, war immer umstritten. Die Frage, ob Menschen von Natur aus auf Kampf oder Menschlichkeit ausgerichtete Wesen seien, wird auch in unserer Zeit kontrovers gesehen.[2] In jüngster Zeit hat eine Serie neurobiologischer Beobachtungen ein neues Bild entstehen lassen. Es beschreibt den Menschen als ein Wesen, dessen zentrale Motivationen auf Zuwendung und gelingende mitmenschliche Beziehungen gerichtet sind. Die neuen Erkenntnisse und sich daraus ergebenden Schlussfolgerungen sind das Thema dieses Buches.

---

[1] »He/she is a mensch«: In seiner in den USA geläufigen Verwendung stammt der Satz aus dem Jiddischen (American Heritage Dictionary of the English Language, Fourth Edition, 2000).

[2] »Mord steckt in uns« titelte der »Der Spiegel« (Ausgabe 35/2005) mit einem Zitat des US-Psychologen und Buchautors David Buss. Der »Focus« (Ausgabe 40/2005) plädierte dagegen für »Siegen auf die nette Tour«.

Neue Erkenntnisse werfen immer auch Fragen auf: Wie steht es um den Menschen im »Kampf ums Dasein«, was bedeuten die jüngsten Beobachtungen für jenes Menschenbild, das sich im Gefolge Charles Darwins entwickelt hat? Was ist aus unseren »egoistischen Genen« geworden, von denen uns die Soziobiologen um Richard Dawkins erzählt haben? Welchen Stellenwert hat, wenn der Mensch ein im Innersten auf Zuwendung und Kooperation gepoltes Wesen ist, die Aggression, dieses markante und so bedrohliche Faktum unseres Dasein? Ihr Stellenwert wird auf der Basis von wissenschaftlichen Untersuchungen, die seit kurzem auch zu dieser Frage vorliegen, neu zu bestimmen sein. Schließlich bleibt zu klären, welche Schlussfolgerungen sich aus dem »Prinzip Menschlichkeit« für die gesellschaftlichen Lebensbereiche ergeben, für die Wirtschaft, für das Leben am Arbeitsplatz, aber auch für die Pädagogik, den Bildungsbereich und die Medizin. Bis zu diesen Fragen hin wird das Buch den Bogen spannen.

Die Macht, die von Menschenbildern ausgeht

Anthropologische Vorstellungen[3] bzw. Menschenbilder sind mehr als nur Glaubenssache. Sie bestimmen nicht nur, wie wir uns selbst und andere sehen, sondern auch, wie wir miteinander umgehen. Und damit haben sie weit reichende Auswirkungen darauf, wie wir leben. Bei nä-

---

[3] Ανθϱοπος (Anthropos), aus dem Altgriechischen, bedeutet »Mensch«. »Anthropologie« meint die »Wissenschaft vom Menschsein«.

herer Betrachtung wird deutlich, dass Menschenbilder zu einem nicht geringen Teil mit den Erfahrungen zusammenhängen, die wir mit anderen – vielleicht auch mit uns selbst – gemacht haben. Auch die Art und Weise, wie andere uns gesehen haben oder sehen, kann unser Denken über den Menschen prägen. Und nicht zuletzt beeinflussen Wünsche, wie wir uns und andere gern sehen wollen, unser Menschenbild. Den meisten am nächsten sein dürfte aber das, was sie unmittelbar in sich fühlen. Nicht jeder empfindet grundsätzlich Sympathie für andere Menschen und findet immer zumindest halbwegs gute Lösungen, falls ihm jemand Schwierigkeiten bereitet. Viele verbinden mit anderen Menschen Erfahrungen von Leid oder erleben Angst. Noch quälender kann es sein, mit immer wieder auftauchenden eigenen Gefühlen von Neid, Zorn und gar Hass konfrontiert zu sein, wenn es um andere Menschen geht. Schlechte Gefühle können verstörend und irritierend sein: Ist das »normal«? Gehören solche Gefühle zu mir selbst, bin ich das, was ich fühle? Oder sind sie von außen bestimmt, hervorgerufen durch das, was mir widerfahren ist? Falls ja, so würde sich die Frage stellen, ob die Entwicklung eines negativen Menschenbildes die einzig mögliche Reaktion ist oder ob es andere, positivere Arten der Verarbeitung negativer Erfahrungen gibt. Dies alles sind schwierige, für manche Menschen auch quälende Fragen.

Menschenbilder mögen die Folge von Erfahrungen sein, noch wichtiger aber ist, was sie ihrerseits bewirken. Sie bestimmen, ob wir anderen vertrauen oder nicht, was wir von anderen erwarten und wie wir auf andere reagieren. Eine tief verwurzelte Grundüberzeugung, dass Menschen von Natur aus zur Bosheit neigen, wird – sagen wir – einen Lehrer nicht nur im Einzelfall auf eine bestimmte Weise auf ein Kind reagieren lassen, das zum Beispiel einen Fehler gemacht hat, sie wird vielmehr seinen gesamten Erziehungsstil prägen. Die Annahme, Menschen seien grundsätzlich auf ihren eigenen Vorteil bedacht und bereit, sich dazu jedes erlaubten (und vielleicht auch nicht erlaubten) Mittels zu bedienen, wird einen Vorgesetzten nicht nur in einer konkreten Situation auf Mitarbeiter reagieren lassen, die ihm zum Beispiel Probleme bereitet haben, sondern sie wird den gesamten Verhaltens- oder Führungsstil an diesem Arbeitsplatz bestimmen. Bei näherer Betrachtung kann sich dabei zeigen, dass der Stil des Umgangs mit Menschen manchmal die Kraft einer sich selbst erfüllenden Prophezeiung hat. Andere mit Vertrauen zu behandeln, kann vertrauensvolle Verhaltensweisen begünstigen. Misstrauen und negative Voranname können andererseits dazu führen, dass sie genau das auslösen, was sie unterstellen. Aber auch darauf ist nicht immer Verlass. Jedermann hat die Erfahrung gemacht, dass Vertrauen nicht immer mit Vertrauen beantwortet wird. Sollten uns negative Erfahrungen veranlassen, ein generell negatives Menschenbild zu entwickeln? Was aber würde dann passieren, wenn wir mit dieser Haltung nun wieder Menschen begegnen, die bereit wären, auf Vertrauen mit Vertrauen zu reagieren? Wir sehen, die Argumentation dreht sich im Kreis. Wir brauchen Rat »von außen«. Doch wer hat die »Oberhoheit« über die anthropologischen Modelle, die wir uns machen und nach denen wir leben können? Dieses Buch wird keine solche Oberhohheit beanspruchen. Es wird jedoch eine Reihe wichtiger neuer Erkenntnisse darlegen, die dafür sprechen, dass wir – und warum wir – von Natur aus »menschliche« Wesen sind, und es wird zeigen, welche Chancen sich daraus ergeben.

Der Paukenschlag des Jahres 1859

In der Frage, wie wir von Natur aus sind und wie wir leben sollten, hatten Theologie und Kirchen über Jahrhunderte das Monopol. Vor etwa zweihundert Jahren, in der Zeit der Aufklärung, begann sich in dieser Hinsicht etwas zu ändern: Der traditionelle Anspruch der Kirche, die Entstehung der Erde, die Naturgeschichte, vor allem aber das Menschenbild und die Regeln des Zusammenlebens erklären und bestimmen zu können, ging in andere Hände über. Angestoßen durch die kritischen Denker der Aufklärung, kam es in Fragen des Menschenbildes zur Übergabe der Oberhoheit der Kirchen an die Eigenverantwortung des Menschen, an seine Vernunft. Die ethische Grundregel der Aufklärung lautete: Handle nach Regeln, nach denen auch alle anderen handeln könnten. Dieser Grundsatz wurde als der »kategorische Imperativ« Immanuel Kants[4], im angloamerikanischen Sprachraum auch als »Golden Rule« (Goldene Regel) bezeichnet. Allerdings blieb der neue ethische Standard der

---

[4] »Handle nur nach der Maxime, von der du zugleich wollen kannst, dass sie ein allgemeines Gesetz werde« (Immanuel Kant, 1724–1804, in: Kritik der praktischen Vernunft, 1788).

Aufklärung, obwohl er sich gegen die Vormundschaft der Kirchen richtete und die Verantwortung in die Hände des Menschen selbst legte, letztlich doch auf dem Boden der jüdisch-christlichen Tradition. Denn von dort kam her, was auch in der Aufklärung weiterhin Geltung hatte: das Recht eines jeden auf Leben und die Pflicht zur Unterstützung der Schwachen. Doch dabei sollte es nicht bleiben. Ein Paukenschlag im Jahre 1859 veränderte die Situation: Charles Darwin publizierte seinen Bestseller »Über die Entstehung der Arten«. Die Erstauflage des Buches war innerhalb kurzer Zeit vergriffen. Zwölf Jahre später legte Darwin, der ursprünglich Theologe war und erst in späteren Jahren zum Naturforscher wurde, mit einem zweiten Werk nach: 1871 erschien sein zweiter Bestseller, »Die Abstammung des Menschen«.

Wie Charles Darwin das Menschenbild revolutionierte

Darwins Evolutionstheorie war die Ablösung der rührenden biblischen Schöpfungsgeschichte durch eine überzeugende, gut begründete Theorie über die Entstehung der Arten in Pflanzenwelt und Tierreich. Die Erkenntnis, der Mensch entstamme der Familie der Primaten, schockierte viele Zeitgenossen Darwins. Doch obwohl sie von religiös-fundamentalistischer Seite immer wieder angezweifelt und attackiert wird, hat sie sich bis heute als wissenschaftlich bestens abgesichert erwiesen. Darwins Werk beschränkte sich jedoch nicht nur auf die Abstammungslehre. Er machte vielmehr eine Reihe von Aussagen, die in ihren historischen Folgen tiefgreifender und weit brisanter waren als seine Erkenntnis, dass der Mensch mit allen anderen Lebewesen durch einen gemeinsamen Stammbaum verbunden ist. Der wirkliche Sprengstoff seiner Theorie lag, wie die Geschichte Europas zwischen 1870 und 1930 zeigen sollte[5], in seinen martialischen Ansichten über die inneren Grundregeln der Biologie.

Darwin erkannte, dass sich Lebewesen im Verlauf vieler Generationen in unterschiedliche Richtungen weiterentwickeln und so nicht nur neue individuelle Eigenschaften, sondern auch neue Arten hervorbringen.[6] Lebewesen mit neu ausgebildeten biologischen Eigenschaften, so argumentierte er weiter, könnten nur dann überleben, wenn ihnen die Anpassung an die äußere Welt gelinge, sie seien daher einem Selektionsdruck ausgesetzt, der nur gut angepassten Individuen das Überleben ermögliche. Bis zu diesem Punkt besteht bis heute innerhalb der Wissenschaft Einigkeit. Darwin ging nun aber einen entschei-

---

[5] Siehe Kapitel 4.

[6] Darwin sprach von »Variationen« (nichterbliche Abweichungen) und »Varietäten« (erblich gewordene Abweichungen). Er war davon überzeugt, dass beides Zufallsereignisse seien, zugleich aber auch – so wie der französische Biologe Jean-Baptiste de Lamarck (1744–1829) – der Meinung, dass Veränderungen von biologischen Merkmalen, die durch Umwelteinflüsse zustande gekommen sind, zu einer erblichen Verankerung führen können (Darwin, 1859, S. 111; und 1871, S. 36 und 67). Der immer wieder behauptete Gegensatz zwischen Darwin und de Lamarck ist historisch nicht zutreffend. Erst der an der Universität Freiburg i. Br. lehrende Zoologe August Weismann (1834–1914) stellte die Regel auf, dass Erfahrungen, die Individuen in der Umwelt machen, nicht in den Erbgang eingehen könnten (»Weismann-Barriere«). In den letzten Jahren wurden allerdings genetische Mechanismen entdeckt (die so genannte RNA-Interferenz), die es doch als möglich erscheinen lassen, dass Umwelteinflüsse die Keimbahn gezielt verändern (siehe Hiller, 2004).

denden Schritt weiter und entwickelte zwei umstrittene Grundannahmen. Die erste war, dass sowohl die Variationen innerhalb einer Art als auch Arten als Ganzes aufgrund des Selektiondrucks der Natur fortlaufend gegeneinander ums Überleben kämpfen müssten.[7] Es hätten sich daher – so seine Schlussfolgerung – im Verlauf der Evolution nur solche neuen Eigenschaften durchsetzen können, die einen Vorteil im gegeneinander geführten Kampf ums Überleben bedeutet hätten. Lebewesen seien daher ihrer inneren Natur nach Kämpfer im Verdrängungskampf. Die zweite, ebenso umstrittene Grundannahme Darwins war ein Umkehrschluss: Der Prozess der Auslese unter dem Druck des Überlebenskampfes – und sonst nichts – sei die treibende Kraft für die Entwicklung der Arten von »niederen« zu »höheren« Wesen.[8] Die wichtigsten biologischen Grundregeln waren für Darwin daher der »war of nature« (Krieg der Natur), der »struggle for life« (Kampf ums Überleben) sowie die Aussonderung der Schwächsten und Auslese der Tüchtigsten. Die biologische Grundeigenschaft aller Lebewesen, der Mensch eingeschlossen, war für Darwin der Wille, gegeneinander ums Überleben zu kämpfen.[9] Kooperation, Zusammenhalt und gemeinschaftliches Handeln wurden von ihm als untergeordnete Hilfssysteme eingeordnet, die sich ausschließlich aus dem Kampf ums Überleben heraus entwickelt hätten und die nur im Dienste dieses Kampfes

---

[7] Darwin betonte ausdrücklich, dass der Kampf der Individuen und der Arten primär *gegeneinander* geführt werde (Darwin, 1859, Kapitel 11, S. 422; Kapitel 15, S. 563; siehe auch Kapitel 11, S. 402ff.).

[8] Darwin (1859), Kapitel 15, S. 565.

[9] Siehe das Zitat von Charles Darwin zu Beginn des vierten Kapitels.

stünden. Damit hatte Darwin den Grundstein für ein neues Menschenbild gelegt.[10]

Eine Ersatzreligion war geboren, die weit reichende Folgen hatte. Neben Karl Marx wurde Charles Darwin der Zweite, von dem eine Art Realexperiment für die Menschheit ausgehen sollte. Darwin hatte den Startschuss für das bis heute nachwirkende Zeitalter des Darwinismus gegeben. Der Naturforscher Adam Sedgwick, einer der Professoren, bei denen Darwin an der Universität von Cambridge Vorlesungen gehört hatte, und diesem im Prinzip durchaus gewogen, äußerte sich in einem Brief an Darwin bereits 1859 über die Folgen von dessen Lehre: »Die Menschlichkeit könnte einen Schaden erleiden, der zu einer Brutalisierung der Menschheit führen könnte.« In wenigen Ländern war die Resonanz auf Darwin derart gewaltig wie in Deutschland.[11] Bereits ein Jahr nach Erscheinen von Darwins erstem Hauptwerk berichtete Ernst Haeckel – er sollte innerhalb weniger Jahre einer der meistgelesenen populären Wissenschaftsautoren werden – auf einer Tagung vor deutschen Ärzten und Naturforschern über die neue Lehre. Darwins Werk ließ zahlreiche Gebildete, Wissenschaftler und Politiker zur Feder greifen und löste in Deutschland über Jahrzehnte eine ganze Serie von Bestsellern aus. Die Faszination des Darwinismus lag nicht nur in seinem revolutionären Verständnis der Naturgeschichte, son-

---

[10] Siehe Kapitel 4.

[11] Darwin schrieb 1868 an Wilhelm Preyer: »Die Unterstützung, die ich von Deutschland aus erhalte, ist der Hauptgrund für meine Hoffnung, daß meine Sicht der Dinge am Ende die Oberhand behält« (The Life and Letters of Charles Darwin. Francis Darwin, Ed., New York 1919).

dern vor allem in dem Versuch, das Zusammenleben von Menschen, Ethik und Moral auf ein neues, scheinbar wissenschaftlich begründetes Fundament zu stellen. Das, was Darwin und seine Anhänger für die Regeln der biologischen Evolution hielten, sollte zugleich die Basis jener Regeln sein, nach denen Menschen ihr Zusammenleben einrichten. Was sich daraus zwischen 1870 und 1930 entwickeln sollte, soll an späterer Stelle geschildert werden.[12]

Das Menschenbild der Soziobiologie

Mit Darwin hatte sich die modern Biologie in die Frage nach dem Menschenbild eingemischt.[13] Diese Einmischung war, wie es scheint, unvermeidlich, obwohl sie von nicht wenigen, zum Beispiel Rudolf Virchow[14], abgelehnt wurde. Die Biologie wird sich aus der Diskussion um das Menschenbild jedenfalls nicht mehr zurückziehen können. Ob Darwins Antworten die richtigen waren, ist fraglich. Dieses Buch wird mit Blick auf das Menschenbild – gestützt auf neurobiologische Befunde – eine andere Position als die Darwins beschreiben. Ob-

---

[12] Siehe Kapitel 4.

[13] Der Erste, der innerhalb des Abendlandes die Biologie in die Diskussion um das Menschenbild eingeführt hatte, war vermutlich Aristoteles mit seiner Naturrechtslehre (sie wurde, obwohl nichtchristlichen Ursprungs, später von Thomas von Aquin in die katholische Lehre übernommen und ist – siehe die Enzyklika »Humanae Vitae« – bis heute die Grundlage für das katholische Verbot der Geburtenkontrolle).

[14] Rudolf Virchow (1821–1902) war ab 1856 Professor für Medizin an der Berliner Charité und Begründer der Zellularpathologie.

wohl viele, darunter auch zahlreiche prominente Wissenschaftler, weder Darwins »Kampf ums Überleben« im Sinne eines biologischen Grundgesetzes noch seine anthropologischen Auffassungen teilen, beherrscht der Darwinismus in diesen Fragen bis heute den orthodoxen biologischen Kanon. Was in den Naturwissenschaften der westlichen Länder hinsichtlich der Natur des Menschen derzeit »offiziell« vertreten wird, findet sich in zwei Büchern, die zur Grundlage der Denkschule der so genannten Soziobiologie wurden. Im Jahre 1975 veröffentlichte der amerikanische Zoologe Edward O. Wilson sein Buch »Sociobiology«. Kurz darauf trat 1976 der englische Biologe Richard Dawkins mit seinem Buch »The Selfish Gene« auf den Plan, das 1978 unter dem Titel »Das egoistische Gen« in deutscher Fassung erschien. Wilson und Dawkins postulierten, dass nicht Lebewesen, sondern Gene die Akteure der Evolution seien.[15] Antriebsfeder allen Lebens auf dieser Erde sei das Ziel der Gene, sich selbst maximal zu vermehren und gegen die Konkurrenz anderer Gene durchzusetzen. Der neodarwinistischen, soziobiologischen Denkschule von Wilson und Dawkins gelang es, Darwins »war of nature« auf eine neue Stufe zu heben: Organismen und Individuen spielten jetzt im Grunde keine entscheidende Rolle mehr – außer jener, ihren Genen im Kampf um deren Überleben dienlich zu sein. Das anthropologische Modell eines primär selbstsüchtigen, nur zum Zwecke des

[15] Weder Wilson noch Dawkins hatten jemals selbst direkt an Genen geforscht. Dem Erfolg ihrer Theorien tat dies überraschenderweise keinen Abbruch.

Eigennutzes kooperativen, letztlich aber nur auf den Kampf ums Überleben programmierten Menschen war damit auf eine scheinbar unangreifbare Weise weiter zementiert worden.

Die moderne Neurobiologie

Nicht nur aus der Sicht der Neurobiologie, auch aus dem Blickwinkel der Genetik ergibt sich eine Perspektive, die sich sowohl vom Denken Darwins als auch der Soziobiologen in zentralen Punkten unterscheidet. Darum soll es in diesem Buch gehen. Ob Konkurrenz und Kampf die primären inneren Triebkräfte sind, die das Verhalten lebender Systeme steuern, ist fraglich. Auf den Menschen bezogen sind diese Annahmen falsch.[16] Definitiv falsch ist auch, dass Gene gegeneinander konkurrierende Akteure sind und – jedes Gen sozusagen gegen den Rest der Welt – um die Vorherrschaft kämpfen.[17] Tatsächlich weiß niemand, was die inneren Triebkräfte und die Ziele der Evolution sind. Herausragende Wissenschaftler im Bereich der Biologie und der Medizin, unter ihnen die amerikanische Biologin Lynn Margulis[18], sind der Meinung, Begriffe wie »Konkurrenz« und »Überlebens-

---

[16] Siehe Kapitel 2.

[17] Siehe Kapitel 5.

[18] Lynn Margulis (geboren 1938) zählt zu den bedeutenden Biologinnen unserer Zeit. Sie entdeckte, wie es zur Bildung der so genannten eukaryontischen Zellen kam, aus denen alle höheren Lebewesen bestehen. Im Jahre 2000 wurde ihr von Bill Clinton die »National Medal of Science« verliehen.

kampf« seien menschliche Konstruktionen, die aus dem Wirtschaftsleben kämen und von außen an die Biologie herangetragen worden seien. Die Biologie kenne kein Erfolgsdenken, wie es die Wirtschaft beherrsche. Für die Natur seien derartige Kriterien irrelevant. Einer wachsenden Zahl von Wissenschaftlern scheint es an der Zeit zu sein, einige der impliziten Annahmen des Darwinismus und der Soziobiologie, an die wir uns gewöhnt haben, in Frage zu stellen. Ziel dieses Buches ist es, dem Konzept einer ausschließlich oder primär im Kampf befindlichen Natur eine Reihe von neueren biologischen Befunden entgegenzustellen, die dafür sprechen, dass das darwinistische Modell des »war of nature« einseitig und unvollständig ist und durch eine differenzierte Betrachtung ersetzt werden muss.

Keine Sympathien für Kreationismus und »intelligent design«

Wer Fragen an Darwin stellt, begibt sich – jedenfalls im Bereich von Forschung und Lehre – auf vermintes Gelände. Wissenschaftler, die auch nur leise Zweifel zu äußern wagten, machten Erfahrungen, wie sie Häretiker bei religiösen Glaubenswächtern oder Dissidenten in autoritären Regimen machen können. Es scheint zu einem gewissen Reflex mancher wissenschaftlicher Meinungsführer geworden zu sein, jedes kritische Nachdenken über Darwin mit hysterischer Aufgeregtheit zu beantworten. Eine gegenüber kritischen Stimmen routinemäßig vorgebrachte Unterstellung lautet, man gehöre zu den so genannten Kreationisten, also zu jenen religiösen Fundamentalisten, die nach wie vor der Meinung sind, die Erde sei – samt aller auf ihr lebenden Arten – vor einigen tausend Jahren von Gottes Hand in einem siebentägigen Schöpfungsprozess erschaffen worden. Dieses Buch argumentiert weder für den Kreationismus noch für die Theorie des »intelligent design«, der zufolge die Evolution einem göttlichen Plan folgt.[19] Darwins Abstammungslehre steht aufgrund einer überwältigenden Ansammlung von entsprechenden Funden und Beobachtungen außer Frage. Die Kritik betrifft einen ganz anderen Punkt, nämlich ob die Evolution tatsächlich nach dem Prinzip des Kampfes ums Dasein voranschreitet, ob Gene »egoistisch« sind und ob der Mensch, wie Darwin es formulierte, ein Wesen ist, welches dem Kampf ausgesetzt bleiben muss. Manchen scheint es schwer zu fallen, sich vorzustellen, dass man über Darwin kritisch nachdenken kann, ohne an seiner Abstammungslehre zu zweifeln. Ein Nachdenken ist aber unausweichlich, nachdem in den vergangenen Jahren gewonnene Erkenntnisse der Neurobiologie die Ziele menschlichen Verhaltens in einem völlig neuen Licht erscheinen lassen. Doch wie sehen diese Erkenntnisse aus?

---

[19] Den Kreationismus und die »Intelligent-design«-Idee abzulehnen, bedeutet nicht zwingend, auch Gott in Frage zu stellen. Ob Gott ist und wie er ist, sind keine Fragen, die mit den Methoden der Naturwissenschaft beantwortet werden können. Moderne theologische Vorstellungen sehen Gott schon lange nicht mehr als einen außerhalb der Welt tätigen Schöpfer. Auf den großen, von der Kirche zu seinen Lebzeiten drangsalierten katholischen Theologen und Naturforscher Teilhard de Chardin geht die Vorstellung zurück, dass Gott *in* der Welt, in den sie belebenden Wesen und daher auch in uns sei.

2.
Der Mensch: Für gelingende Beziehungen konstruiert

Wir sind – aus neurobiologischer Sicht – auf soziale Resonanz und Kooperation angelegte Wesen. Kern aller menschlichen Motivation ist es, zwischenmenschliche Anerkennung, Wertschätzung, Zuwendung oder Zuneigung zu finden und zu geben. Doch kann die Neurobiologie dazu überhaupt Stellung beziehen? Kann der biologische Bauplan, nach dem wir als Lebewesen konstruiert sind, überhaupt etwas darüber aussagen, welche Verhaltensweisen unserer Natur gemäß sind, welche uns gut tun und welche geeignet sind, uns krank zu machen? Wenn es um Ernährungsgewohnheiten oder angemessene Formen körperlicher Belastung geht, würden wir diese Frage ohne Zweifel bejahen. Doch wie ist die Situation, wenn es darum geht, welche psychischen Bedürfnisse Menschen haben, wie sie den Umgang miteinander optimal gestalten können und wie ein gesellschaftlicher Rahmen aussehen sollte, in dem ein solcher Umgang optimal zum Tragen kommen kann? Zweifellos besitzt die Biologie in dieser Hinsicht keine Deutungshoheit. Dennoch können Erkenntnisse aus ihrem Bereich für die Frage, wie menschengemäßes Leben aussieht, von erheblichem Belang sein. Das Bild, das sich aus einer Reihe von neueren Beobachtungen ergibt, lässt den Menschen als ein in seinen zentralen Antrieben auf gelingende Beziehungen hin orientiertes Wesen erscheinen. Damit unterscheidet es sich erheblich von dem naturwissenschaftlichen Bild, das in den vergangenen Jahrzehnten gezeichnet wurde.[1]

Da Lebewesen über ein teilweise erhebliches Aggressionspotenzial verfügen, lag die Vermutung nahe, dass der tiefste biologische Antrieb des Lebens – auch der des menschlichen Lebens – in der Konkurrenz und im Kampf liege. Da sich dies nahtlos zum »Kampf ums Überleben« fügte, den Charles Darwin zur Grundregel der Natur erklärt hatte, schien für viele die Frage nach der Natur des Menschen geklärt. Dementsprechend wurde – und wird – von manchen immer wieder auch eine gesellschaftliche Ordnung gefordert, die Konkurrenz und Auslese nicht nur ermöglichen, sondern auch fördern solle. Tatsächlich wurden solche gesellschaftlichen Projekte nach 1860 bis in die Mitte des letzten Jahrhunderts in zahlreichen westlichen Ländern aktiv betrieben[2], und auch in den letzten Jahren werden wieder Ideen propagiert, eine ausschließlich auf Konkurrenzkampf und den Erfolg der angeblich Tüchtigsten gegründete Gesellschaft zu verwirklichen. Dem steht die neurobiologische Entdeckung der Motivationssysteme gegenüber, der »Antriebsaggregate« des Lebens.

---

[1] Die Deutungshoheit in den Naturwissenschaften hat in dieser Frage bis heute die Soziobiologie beansprucht.

[2] Siehe Kapitel 4.

Die Antriebsaggregate des Lebens

Für welche Art von Leben sind wir gemacht? Was treibt das Verhalten von Lebewesen an, und welchen Zielen strebt es zu? Diese Fragen interessieren uns natürlich vor allem im Hinblick auf unsere eigene Spezies. Sie betrifft im Grunde aber alle Säugetiere, deren neurobiologischer Bauplan dem unseren gleicht.[3] Warum also haben Menschen, vorausgesetzt, sie erfreuen sich einer hinreichenden Gesundheit, die Motivation, teilweise schwierige Vorhaben zu verfolgen, auch dann, wenn sie sich erheblichen Strapazen unterziehen und sich mit Widrigkeiten herumschlagen müssen, bevor sie schließlich am Ziel ihrer Wünsche ankommen? Besitzt der Körper Antriebsaggregate? Wenn ja, wo sitzen diese, und nach welchen Regeln funktionieren sie? Vor allem aber: *Wohin* steuern sie uns?

Viele biologische Systeme des Körpers, für die man sich in der medizinischen Forschung interessierte, ließen sich erst dadurch verstehen, dass man – gezielt oder zufällig – beobachtete, welche äußeren Umstände ein solches System aktivieren und welche es lahm legen können. Manchmal ergab es sich, dass man der Existenz eines biologischen Systems durch Beobachtungen dieser Art überhaupt erst auf die Schliche kam. Die Entdeckung der körpereigenen »Antriebsaggregate« für Zielstrebigkeit und Lebenswil-

[3] Aus neurobiologischer Sicht finden sich alle Grundprinzipien des menschlichen Gehirns auch bei den Säugetieren wieder, wenn auch deren intellektuelle und emotionale Fähigkeiten im Vergleich zu den unseren in vielerlei Hinsicht weniger entwickelt zu sein scheinen.

len war ein solcher Fall. Man hatte zweierlei festgestellt: Auf der einen Seite entdeckte man Stoffe, die jegliche Zielstrebigkeit lahm legen können, und auf der anderen Seite erkannte man, dass es eine Reihe von Substanzen gibt, die bei Mensch und Tier ein ungemein heftiges, ja geradezu krankhaftes Streben auslösen. Bei beiden Phänomenen rätselte man lange über eine Erklärung. Am Ende jahrelanger Forschung stand die Entdeckung der Antriebsaggregate des Lebenswillens. Allerdings dauerte es bis in die allerjüngste Zeit hinein, bis klar war, *wohin* uns diese biologischen Antriebsaggregate eigentlich steuern wollen. In der Fachwelt werden sie als »Motivationssysteme« oder auch »Belohnungssysteme« bezeichnet. In der englischsprachigen Fachliteratur heißen sie »reward systems«.

Die Entdeckung der Motivationssysteme

Starkes, unstillbares Verlangen gehört, wenn es nicht Ausdruck einer Erkrankung ist, zu den schönsten Lebenserfahrungen. Lässt sich Begehren überhaupt wissenschaftlich erforschen und beschreiben? Die Entdeckung der körpereigenen Motivationssysteme begann mit Beobachtungen, die man bei der Behandlung von Kranken machte. Bereits vor einigen Jahrzehnten war man, wie schon erwähnt, auf eine Gruppe von Substanzen gestoßen, die zum Verlust jeglichen Antriebs führen, und dies, ohne dabei im Geringsten das Wachbewusstsein zu trüben. Stoffe mit einer derartigen Wirkung werden als Neuroleptika bezeichnet. Die erste Substanz dieser Art,

Chlorpromazin, hatte in den vierziger Jahren der französische Chemiker Paul Charpentier entwickelt und 1950 der Öffentlichkeit vorgestellt.[4] Im Jahr darauf berichtete der französische Chirurg Henri Laborit, der die gleiche Substanz probeweise bereits bei Verletzten im Zweiten Weltkrieg eingesetzt hatte, dass sie sich bei Operationen ausgezeichnet zur Beruhigung der schmerzgeplagten Patienten eigne. Wiederum ein Jahr später, nämlich 1952, veröffentlichten die französischen Psychiater Jean Delay und Pierre Deniker ihre Beobachtung, dass sich mit Chlorpromazin auch erregte psychiatrische Patienten, wiederum ohne deren Wachbewusstsein zu beeinträchtigen, aus ihrer quälenden Anspannung erlösen und in einen Zustand der Apathie versetzen ließen. Dass Neuroleptika Antrieb und Motivation zum Erliegen bringen, ließ sich auch in Tierversuchen demonstrieren. Nagetiere in Käfighaltung, die herausgefunden haben, dass sie durch Druck auf eine bestimmte Taste Zugang zu einer Annehmlichkeit bzw. »Belohnung«, zum Beispiel zu Futter oder Artgenossen, erhalten können, machen von dieser Möglichkeit normalerweise reichlich Gebrauch, ein klares Zeichen von Motivation. Bereits sehr kleine Dosen eines Neuroleptikums reichen aus, um in dieser oder ähnlichen Situationen den Antrieb und das zielgerichtete Streben, also die Motivation dieser Tiere, massiv zu dämpfen, sie verzichten dann auf den Tastendruck.

---

[4] Chlorpromazin gehört zur Gruppe der Phenotiazine. Kurze Zeit später, 1958, wurde mit den Butyrophenonen eine weitere Stoffgruppe mit ganz ähnlichen Eigenschaften entdeckt. Zu den Butyrophenonen zählt die pharmazeutische Substanz Haloperidol.

Dass es im Menschen ein biologisch verankertes Motivationssystem geben muss, ergab sich nicht nur aus der Entdeckung der Neuroleptika. Man wurde – allerdings erst in jüngerer Zeit – zudem auf eine völlig entgegengesetzte Situation aufmerksam, in der die Antriebsaggregate ein geradezu unbändiges Streben entfalten können. Die Rede ist von den Suchterkrankungen. Über viele Jahrzehnte hinweg hatten namhafte Vertreter der Medizin – und mit ihnen ein Großteil der Gesellschaft – Suchtkranke als genetisch degeneriert, moralisch minderwertig und von Natur aus willensschwach eingeordnet.[5] Erst in den letzten etwa dreißig Jahren begann man, die Situation suchtabhängiger Menschen unvoreingenommen zu betrachten und wissenschaftlich zu analysieren: Suchtkranke sind Menschen, die ein meist durch keine Vernunft und keinen Willen zu bezwingendes heftiges und unstillbares Verlangen haben. Dieses ist allerdings vollständig darauf eingeengt, eine bestimmte Substanz – die Suchtdroge – einzunehmen.[6] Dass Menschen, die von einer Sucht betroffen sind, große Teile ihres motivierten Verhaltens dem Ziel unterordnen, an die nächste Dosis

---

[5] Siehe dazu Kapitel 4.

[6] Nach neueren Untersuchungen sind 6 Prozent der deutschen Bevölkerung von schwerer Alkoholsucht betroffen (Männer 8 Prozent, Frauen 3 Prozent). Von den rund 30 Prozent Rauchern in der Gesamtbevölkerung sind mehr als ein Drittel, also über 10 Prozent der Bevölkerung, starke, als suchtkrank geltende Nikotinabhängige. Der Prozentsatz der Männer liegt auch hier mit etwa 15 Prozent deutlich über dem der Frauen mit 8 Prozent. Frauen sind dagegen stärker von Medikamentensucht betroffen (mindestens 5 Prozent aller Frauen sind von Schlaf- oder Beruhigungsmitteln abhängig). Die Häufigkeiten für Kokain- und Heroinabhängigkeit liegen in Deutschland derzeit jeweils deutlich unter 1 Prozent.

ihres Suchtmittels zu kommen, lässt auf überaus mächtige Antriebsaggregate schließen. Die wissenschaftliche Aufklärung dieser Aggregate wurde dadurch erleichtert, dass sich auch Tiere ohne weiteres suchtkrank machen lassen.[7] So konnte man über tierexperimentelle Beobachtungen vieles herausfinden, was sich dann tatsächlich auch als Schlüssel zum Verständnis menschlichen Suchtverhaltens erwies.

Man hatte nun also zweierlei zur Verfügung: einerseits Antrieb, Verlangen und Motivation dämpfende Substanzen und andererseits Suchtmittel, die eine Steigerung – und dabei leider auch eine krankhafte Einengung – motivierten Strebens zur Folge hatten. Die Frage war nun: Würden die Erforschung der Neuroleptika und die Erforschung der Suchtmittel wie an der Schnittstelle zweier Geraden bei *einer* gemeinsamen neurobiologischen Struktur zusammentreffen? Wenn ja, dann sollte sich an dieser Stelle ein biologisches System befinden, welches das gesuchte zentrale Antriebsaggregat des Körpers ist. Dass beide Forschungslinien in der Tat bei ein und derselben neurobiologischen Struktur ankamen, war der entscheidende erste Durchbruch bei der Aufklärung der Belohnungssysteme. Wie sich zeigen sollte, sind sie beim Menschen und bei Säugetieren im Prinzip in gleicher Weise angelegt. Die Struktur, die sich als Kern des Motivationssystems herausstellte, hat ihren Sitz im Mittelhirn, ist also sehr zentral gelegen. Sie ist über Nervenbahnen mit vielen anderen Hirnregionen verbunden, von denen sie entwe-

[7] Die Suchtforschung arbeitete insbesondere mit kleinen Nagetieren, zum Beispiel Ratten und Mäusen.

der Informationen erhält oder an die sie Impulse weitergibt. Besonders enge Nervenfaserschaltungen bestehen mit den Emotionszentren. Informationen, die von dort eintreffen, melden dem Motivationssystem, ob die Umwelt Ziele in Aussicht stellt, für die es sich einzusetzen lohnt. Die alles entscheidende Frage, um welche Ziele es sich dabei handelt, schieben wir noch einen Moment lang auf und betrachten zunächst, wie das Antriebsaggregat eigentlich funktioniert.

Treibstoff der Motivationssysteme: Die »Dopingdroge« Dopamin

Kleine Zellen, große Gefühle: Das Kernstück des Motivationssystems besteht aus zwei Komponenten, die gemeinsam eine Art »Achse« bilden. Diese ist aus zwei miteinander verbundenen Neuronengruppen aufgebaut. Die Basiskomponente besteht aus Nervenzellen[8], deren lange Fasern nach vorne ziehen und bei der zweiten Komponente enden. Die Nervenzellen dieser zweiten, vorderen Komponente bilden das Kopfteil der Achse.[9] Die von

[8] Die Nervenzellen der Basiskomponente befinden sich innerhalb des Gehirns in der so genannten »Ventralen Tegmentalen Area« (VTA). Die Basiskomponente wird in der Fachsprache nach ihrer Lokalisation als VTA bezeichnet.

[9] Die Nervenzellen der vorderen Komponente (des »Kopfteils«) werden als »Nucleus accumbens« bezeichnet. Gruppen von Nervenzellen, die eine funktionelle Einheit bilden, werden in der Neurobiologie oft »Kern« oder »Nucleus« genannt. Der Nucleus accumbens befindet sich in einer größeren neurobiologischen Struktur, dem »Striatum«, und zwar im vorderen Teil, dem »ventralen Striatum«.

den Neuronen der Basiskomponente kommenden Nervenfasern sind mit den Nervenzellen der vorderen Komponente, also mit dem Kopfteil, über Kontaktstellen (Synapsen) verschaltet. Wenn das System aktiv wird, beginnen die Neuronen der Basiskomponente zu feuern und geben an das Kopfteil einen Botenstoff namens Dopamin ab. Die Freisetzung von Dopamin durch das Motivationssystem löst sowohl im Gehirn als auch im ganzen Körper Effekte aus, die in der Summe den Wirkungen einer Dopingdroge ähnlich sind. Vom Motivationszentrum ausgeschüttetes Dopamin erzeugt ein Gefühl des Wohlbefindens und versetzt den Organismus psychisch und physisch in einen Zustand von Konzentration und Handlungsbereitschaft. Interessanterweise beeinflusst Dopamin zugleich auch die muskuläre Bewegungsfähigkeit des Körpers.[10] Dopamin-Mangel, wie er zum Beispiel bei der Parkinson-Erkrankung vorkommt, hat eine Verminderung der Bewegungsfähigkeit zur Folge. Die zentrale Funktion von Dopamin besteht also darin, den Antrieb und die Energie dafür zu erzeugen, dass sich Lebewesen auf ein Ziel zubewegen. Tatsächlich hat Motivation mit Handlungsbereitschaft und damit auch mit der Bewegungsfähigkeit zu tun. Der Botenstoff Dopamin leistet beides: Er macht Bewegung möglich und hat zusätzlich die Funktion einer psychischen Antriebs- und Motivationsdroge.

---

[10] Seinen Einfluss auf die Bewegungsfähigkeit übt Dopamin über eine neurobiologische Achse aus, die parallel zur Motivationsachse verläuft. Wie die Motivationsachse, so hat auch die Bewegungsachse eine Basiskomponente (sie trägt den Namen »Substantia nigra«) und als Kopfteil eine vordere Komponente (diese wird als »Globus pallidus« bezeichnet).

Dopamin ist nicht die einzige körpereigene »Droge«, die das Motivationssystem zu vergeben hat. Falls es in der vorderen Komponente, dem Kopfteil der beschriebenen Dopamin-Achse, zur Ausschüttung von Dopamin kommt, werden zusätzlich weitere körpereigene Botenstoffe, so genannte endogene Opioide, freigesetzt.[11] Endogene Opioide haben eine Wirkung, die derjenigen von Opium oder Heroin entspricht, wobei die körpereigenen Opioide in der Dosierung allerdings fein abgestimmt sind, so dass sie normalerweise keine betäubende oder einschläfernde Wirkung haben[12], sondern lediglich einen sanften, wohltuenden Effekt nach sich ziehen.[13] Endogene Opioide wirken auf die Emotionszentren des Gehirns[14],

---

[11] Als »endogene Opioide« werden drei Substanzgruppen mit ähnlicher Wirkung bezeichnet: 1. die »Endorphine« (die im Hypothalamus hergestellt werden), 2. die »Enkephaline« (sie werden nicht nur im Hypothalamus, sondern auch in den Emotionszentren des Gehirns produziert) und 3. die »Dynorphine« (Herstellung im gesamten Gehirn).

[12] Nur in Ausnahmesituationen, insbesondere nach schweren Trauma-Erfahrungen, kann die Opioidausschüttung derart stark sein, dass sich Betäubungseffekte einstellen. Patienten können dann zum Beispiel bestimmte Körperteile nicht mehr spüren oder geraten in Trancezustände, die als Dissoziation bezeichnet werden. Diese Zusammenhänge, von denen vor allem Menschen mit einer Posttraumatischen Belastungsstörung sowie Borderline-Patienten betroffen sind, finden sich dargestellt bei Joachim Bauer: Das Gedächtnis des Körpers (2004).

[13] Damit endogene Opioide wirken können, müssen sie an Empfangsstationen (Rezeptoren) binden, die ihren Sitz auf der Oberfläche von Nervenzellen (aber auch auf anderen Zellen, zum Beispiel des Immunsystems) haben. Der am besten untersuchte Rezeptor wird in der Fachsprache als µ-Opioidrezeptor bezeichnet.

[14] Das oberste Emotionszentrum sitzt im vorderen Teil der Gürtelwindung, auch »Gyrus Cinguli« genannt. Die Fachbezeichnung für den vorderen Teil der Gürtelwindung lautet Anteriorer Cingulärer Cortex, abgekürzt

sie haben positive Effekte auf das Ich-Gefühl, auf die emotionale Gestimmtheit und die Lebensfreude. Zudem vermindern sie die Schmerzempfindlichkeit und stärken das Immunsystem. Neben Dopamin und den körpereigenen Opioiden produziert das Gehirn einen dritten, überaus bedeutsamen Wohlfühlbotenstoff namens Oxytozin. Dieses körpereigene Produkt verfügt über sehr interessante, unter anderem auch den erotischen Bereich betreffende Spezialeigenschaften, auf die nachfolgend noch einzugehen sein wird. Weil die neurobiologischen Regionen, in denen Dopamin, endogene Opioide und Oxytozin freigesetzt werden können, untereinander verschaltet sind, könnte man sie als ein großes Gesamt-Motivationssystem ansehen. Häufig werden sie aber auch als »die Motivationssysteme« bezeichnet.

»Neurobiologische Korruption«: Motivationssysteme und Suchtdrogen

Welche Voraussetzungen müssen erfüllt sein, damit die Motivationssysteme ihre Botenstoffe freigeben? Verlangen und Antrieb allein sind sinnlos, wenn keine Bedingungen definiert sind, unter denen diese Kräfte in Gang gesetzt werden sollen. Außerdem muss geregelt sein, *wohin* die Energie des Antriebs gehen, *wozu* sie dienen soll. Anders gefragt: Was sind – aus der Sicht des Gehirns – Ziele, für die es sich einzusetzen lohnt? Eine sehr einfa-

---

ACC. Im Vergleich mit anderen Regionen der Hirnrinde finden sich hier die höchsten Konzentrationen des µ-Opioidrezeptors.

che, auf Dauer aber leider ruinöse »Lösung« findet sich im Falle der Suchtkrankheiten. Lange war unklar, was eine Substanz – unter den unzähligen Stoffen, die sich zum Konsum eignen – in den Rang einer Suchtdroge erhebt. Am Ende jahrelanger Suchtforschung stand die Erkenntnis, dass nur solche Stoffe süchtiges Verhalten erzeugen können, die eine starke Sofortwirkung auf die Dopamin-Achse oder auf das endogene Opioidsystem des Gehirns haben. Auf die Dopamin-Achse wirken Nikotin, Alkohol und Kokain. Sie führen dort zur Freisetzung von Dopamin. Die Effekte der Opiatdrogen Heroin und Opium zielen auf das System der körpereigenen Opioide und können diese ersetzen (wahrscheinlich, dies ist aber noch nicht sicher geklärt, setzen auch die Cannabinoide, also Haschisch, hier an[15]). Der Konsum der genannten Drogen löst subjektiv wohltuende, entspannende, Angst und Stress reduzierende Empfindungen aus. Sobald diese Wirkung nachgelassen hat, kommt es – falls eine Sucht vorliegt – zu einem intensiv motivierten Verhalten, das allerdings, wie schon erwähnt, in hohem Maße auf *ein* Ziel eingeengt ist, nämlich darauf, sich eine neue Dosis des Suchtmittels zu beschaffen. Suchtmediziner nennen dieses Verlangen »Suchtdruck« oder »Craving«. Suchtdrogen sind also nur deshalb Suchtdrogen, weil sie auf die körpereigenen Motivationssysteme wirken, weil sie diese ersatzbefriedigen und damit quasi korrumpieren. Nun aber stellt sich eine neue Frage: Es erscheint wenig wahrscheinlich, dass die Evolution die Motivationssysteme entstehen ließ, um Lebewesen an

[15] Siehe Liana Fattore et al. (2004).

Suchtdrogen zu binden. Wozu aber besitzt der Körper dann eigentlich Motivationssysteme? Welche *natürlichen* Voraussetzungen sind zu erfüllen, damit diese Systeme ihre Glücksbotenstoffe abgeben? Ein Verhalten, welches die dafür notwendigen Voraussetzungen schaffen könnte, wäre ohne Frage hochgradig motiviert. Eine Art »Motivationsdruck« würde dann den erwähnten »Suchtdruck« ersetzen. Und damit sind wir wieder bei der Frage, *wozu* die Motivationssysteme – wenn *keine* Sucht im Spiel ist – den Menschen eigentlich motivieren sollen.

Von den Motivationssystemen zur Entdeckung des »social brain«

Die Frage nach dem »Wozu« der Motivationssysteme ist nicht nur theoretischer Natur. Denn tatsächlich ist die Freisetzung der Wohlfühlbotenstoffe – von Dopamin, endogenen Opioiden und Oxytozin – immer an Voraussetzungen gebunden. Motivation ist auf lohnende Ziele gerichtet und soll den Organismus in die Lage versetzen, durch eigenes Verhalten möglichst günstige Bedingungen zum Erreichen dieser Ziele zu schaffen. Dadurch erhält die Bezeichnung »Motivationssysteme« ihren eigentlichen Sinn.[16] Die Aufdeckung dessen, was die Motivationssysteme aus neurobiologischer Sicht eigentlich »wollen«

---

[16] Wegen des Belohnungscharakters ihrer Botenstoffe werden die Motivationssysteme im Englischen nicht nur als »motivation systems«, sondern, wie bereits erwähnt, auch als »reward systems« (Belohnungssysteme) bezeichnet.

und wohin sie das Verhalten des Individuums lenken, gelang erst im Laufe der letzten Jahre. Das Ergebnis verblüffte selbst die Fachwelt: Das natürliche Ziel der Motivationssysteme sind soziale Gemeinschaft und gelingende Beziehungen mit anderen Individuen, wobei dies nicht nur persönliche Beziehungen betrifft, Zärtlichkeit und Liebe eingeschlossen, sondern alle Formen sozialen Zusammenwirkens.[17] Für den Menschen bedeutet dies: *Kern aller Motivation ist es, zwischenmenschliche Anerkennung, Wertschätzung, Zuwendung oder Zuneigung zu finden und zu geben.* Wir sind – aus *neurobiologischer* Sicht – auf soziale Resonanz und Kooperation angelegte Wesen. Vor dem Hintergrund der zuvor entdeckten Bedeutung der Motivationssysteme für die Entstehung von Suchtkrankheiten war dies derart überraschend, dass Thomas Insel[18] im Jahre 2003 einen wissenschaftlichen Artikel mit dem ironischen Titel überschrieb: »Is social attachment in addictive disorder?«, was so viel heißt wie »Ist soziale Bindung eine Suchtkrankheit?«. Die Aussage seines Artikels, in dem er die gesamte damals vorhandene Forschung auf diesem Gebiet zusammenfasste, mündete in eine klare Bejahung der von ihm im Titel gestellten

---

[17] Bindungen, welche durch die Motivationssysteme angestrebt werden, betreffen in erster Linie Individuen der gleichen Art. In Einzelfällen sind auch Bindungen zu Individuen »befreundeter« Arten möglich, etwa zu Haustieren. Aus diesem Grund können bestimmte Tierarten (zum Beispiel Ponys, kleine Haustiere, aber auch Delfine) bei Bindungsstörungen therapeutisch eingesetzt werden.

[18] Thomas Insel war selbst jahrelang im Bereich der Motivationsforschung tätig, bevor er zum Direktor des National Institute of Mental Health (NIMH), einer der bedeutendsten Forschungsorganisationen der Welt, ernannt wurde.

Frage. Thomas Insel war es auch, der zusammen mit dem Hirnforscher Russell Fernald von der Stanford University den Begriff des »social brain« prägte.[19] Neurobiologische Studien zeigen: Nichts aktiviert die Motivationssysteme so sehr wie der Wunsch, von anderen gesehen zu werden, die Aussicht auf soziale Anerkennung, das Erleben positiver Zuwendung und – erst recht – die Erfahrung von Liebe.[20] Wir Menschen werden vermutlich noch einige Zeit brauchen, bis wir erkennen, was dies für unser Leben und für die Art, wie wir unser Zusammenleben in optimaler Weise gestalten und ordnen, bedeutet.

Die Einsicht, dass Akzeptanz und Anerkennung, die wir bei anderen finden, der tiefste Grund aller Motivation ist, ergab sich erst in den letzten fünf bis zehn Jahren und ist das Ergebnis einer Serie von teilweise überaus aufwendigen Untersuchungen. Entdeckt wurde dabei: Die Motivationssysteme schalten ab, wenn keine Chance auf soziale Zuwendung besteht, und sie springen an, wenn das Gegenteil der Fall ist, wenn also Anerkennung oder Liebe im Spiel ist. Unabhängig von neurobiologischen Studien ist aus Verhaltensbeobachtungen und psychologischen Untersuchungen seit längerem bekannt, dass soziale Isolation oder Ausgrenzung, wenn sie über lange Zeit anhält, zu Apathie und zum Zusammenbruch jeg-

---

[19] Thomas Insel und Russell Fernald (2004). Siehe dazu auch die Publikation von James Winslow und Thomas Insel (2004), die Arbeiten von Jaak Panksepp (2003, 2005) sowie die von Nelson und Panksepp (1998).

[20] Hier ergibt sich ein Bezug zu Gedanken, die der Philosoph und Sozialforscher Axel Honneth aus gänzlich anderer Warte geäußert hat (Honneth, 1992).

licher Motivation führt.[21] Erst durch die Motivationsforschung aber gelang der Nachweis, dass dieser Prozess von einer neurobiologischen Reaktion begleitet wird: Über längere Zeit vorenthaltener sozialer Kontakt hat den biologischen Kollaps der Motivationssysteme des Gehirns zur Folge. Dies zeigte zum Beispiel eine französisch-amerikanische Arbeitsgruppe um Michel Barrot anhand von Versuchen, die sich aus ethischen Gründen natürlich nur mit nichtmenschlichen Säugetieren durchführen lassen. Einem Individuum gegen seinen Willen aufgezwungene soziale Isolierung bringt das Kernstück des Motivationssystems, nämlich die beschriebene »Dopamin-Achse«, zum Erliegen. Wie Barrot und sein Team nachwiesen, führt länger andauernde Isolation dazu, dass dabei in der vorderen Komponente, also im »Kopfteil« der Motivationsachse[22], auch Gene abgeschaltet werden.

Das natürliche Ziel von Motivation: Menschliche Zuwendung

Worauf die Motivationssysteme zielen, ist also Zuwendung und die gelingende Beziehung zu anderen. Dies erklärt die bekannte Tatsache, dass Menschen nach dem Verlust wichtiger zwischenmenschlicher Bindungen oft

[21] In Einzelfällen kann soziale Isolation nachweislich zum Tode führen. Siehe dazu Joachim Bauer: Warum ich fühle, was du fühlst, dort Kapitel 7 (2005).

[22] Wie bereits vorangehend erläutert, handelt es sich dabei um den Nucleus accumbens.

einen Einbruch ihrer Lebensmotivation erleben und von Gefühlen der Sinnlosigkeit geplagt sind. Verlustereignisse sind, wie Studien belegen, typische Auslöser von Depressionen und anderen psychischen Krisen. Die Tatsache, dass länger dauernde soziale Isolation oder der Verlust wichtiger zwischenmenschlicher Bindungen zu einem Absturz der Motivationssysteme führen können, macht etwas Entscheidendes deutlich: *Alle Ziele, die wir im Rahmen unseres normalen Alltags verfolgen, die Ausbildung oder den Beruf betreffend, finanzielle Ziele, Anschaffungen etc., haben aus der Sicht unseres Gehirns ihren tiefen, uns meist unbewussten »Sinn« dadurch, dass wir damit letztlich auf zwischenmenschliche Beziehungen zielen, das heißt, diese erwerben oder erhalten wollen. Das Bemühen des Menschen, als Person gesehen zu werden, steht noch über dem, was landläufig als Selbsterhaltungstrieb bezeichnet wird.* Nicht nur Personen, auch Tiere, die gegen ihren Willen dauerhaft ausgegrenzt und isoliert werden, verlieren alles Interesse am Leben, verweigern die Nahrung, werden krank und sterben.[23] Im Gegensatz zu Erwachsenen, bei denen diese Zusammenhänge manchmal kaum noch wahrgenommen werden, ist die Abhängigkeit der Motivation von Bezugspersonen bei Kindern und Jugendlichen noch relativ unverstellt und daher leichter zu erkennen. Das Bemühen von Kin-

[23] Bei Lebewesen, die Hunger haben, werden die Motivationssysteme auch durch in Aussicht stehende Nahrung aktiviert. Dies macht biologisch Sinn. Dass dauerhafte soziale Isolation – beim Menschen und bei zahlreichen Tieren – den Willen zur Nahrungsaufnahme erlahmen lässt, zeigt die vorrangige, übergeordnete Bedeutung der Gemeinschaft als Motivationsziel.

dern und der Erfolg ihres Tuns werden entscheidend dadurch angestoßen und befördert, dass eine erwachsene Person schlicht und einfach anwesend ist und sich – ohne dabei weiter aktiv zu werden – für ihr Tun interessiert.[24] Auch dort, wo unsere – kleineren oder größeren – Vorhaben auf den ersten Blick keine zwischenmenschlichen Aspekte zu haben scheinen, richten wir uns damit im Grunde immer an andere, für uns bedeutsame Personen.

Mit neurobiologischen Studien lässt sich nicht nur demonstrieren, wie der Entzug sozialer Kontakte die Motivationssysteme hemmt. Sie zeigen auch das Gegenteil, also wie die Motivationssysteme auf sozialen Kontakt reagieren. Bereits bei niederen Säugetieren wie Ratten oder Mäusen, deren prinzipieller Aufbau des Gehirns dem unseren – ob es uns gefällt oder nicht – entspricht, lässt sich beobachten, wie die Tiere eine erhebliche Motivation entwickeln und einiges dafür tun, um herauszufinden, wie sie aus einem Einzelkäfig in einen benachbarten, für sie optisch einsehbaren oder durch Geruch wahrnehmbaren Käfig gelangen können, in welchem sich Artgenossen befinden. Falls der Zugang durch ein bestimmtes Verhalten – zum Beispiel durch Druck auf eine kleine Leiste – geöffnet werden kann, finden die Tiere, wie schon erwähnt, dies rasch heraus und bedienen sich des Mechanismus unverzüglich. Aus neurobiologischen Analysen geht hervor, dass dieses Verhalten von einer Mobilisierung des Motivationssystems begleitet wird und dass es sich durch Gabe von Motivationshemmstoffen, zum

---

[24] Siehe zum Beispiel die Untersuchung von Manfred Holodynski (2006).

Beispiel Neuroleptika, unterdrücken lässt. Interessant ist, dass es bereits bei der Wahrnehmung eines *in Aussicht stehenden* sozialen »Objekts« zur Weckreaktion der motivierenden Dopamin-Achse kommt, also *bevor* das Ziel der Wünsche erreicht ist. Dieses »In-Aussicht-Stellen« eines sozialen Kontaktes wird von den Emotionszentren registriert und führt von hier aus zu einer unverzüglichen Mobilisierung der Motivationssysteme, die wiederum psychisches Begehren und körperliche Handlungsbereitschaft auslösen, das heißt, sie setzen Lebewesen sowohl im direkten als auch im übertragenen Sinne in Richtung Artgenosse bzw. Mitmensch in Bewegung.

Die intensivste Form der Zuwendung: Liebe

Das meiste, was wir im Alltag tun, ist direkt oder indirekt dadurch motiviert, dass wir wichtige Beziehungen zu anderen Menschen gewinnen oder erhalten wollen. Was für den normalen menschlichen Alltag typisch ist, uns aber nichtsdestoweniger am Leben erhält, sind bekanntlich die eher geringen, unspektakulären »Dosierungen« sozialer Anerkennung oder Zuwendung. Diese lassen sich allerdings in experimentellen Situationen – zum Beispiel in der Untersuchungsröhre eines Kernspintomographen, der die Hirnaktivität während eines bestimmten Moments misst – nur schlecht nachstellen bzw. simulieren. Um deutliche Signale der Hirnaktivität abzubilden, wurden deshalb für die meisten Versuche stärkere soziale Reize verwendet. Personen, die ihnen nahe stehende, geliebte Menschen sehen oder hören, reagieren mit einer überaus massiven Reaktion ihres Motivationssystems.

Der US-Neurobiologe Jeffrey Lorberbaum untersuchte zum Beispiel mittels funktioneller Kernspintomographie, welche Hirnareale aktiv werden, wenn Mütter, während sie in der Untersuchungsröhre liegen, das Weinen oder Schreien ihrer kleinen Kinder hören. Er beobachtete ein starkes »Hochfahren« nicht nur des Motivationssystems[25], sondern auch der Zentren, die diesem System vor- und nachgeschaltet sind.[26] Die gleiche neurobiologische Reaktion stellt sich auch dann ein, wenn Mütter ihre Kinder auf einem in der Untersuchungsröhre installierten Bildschirm sehen können. Handelt es sich bei den wahrgenommenen Kindern nicht um die eigenen, sondern um fremde Kinder, kommt es ebenfalls zu einer Reaktion, die Mobilisierung des Motivationszentrums fällt dann aber schwächer aus.[27]

Beobachtungen dieser Art, wie sie im Falle des Menschen mit der funktionellen Kernspintomographie ge-

---

[25] Aktiviert war das ventrale Striatum, in dem, wie beschrieben, der Nucleus accumbens liegt.

[26] Mit aktiviert waren unter anderem das vorgeschaltete Emotionszentrum ACC (Anteriorer Cingulärer Cortex) sowie der nachgeschaltete Thalamus, über den die Nervenbahnen zu den bewegungs- und handlungssteuernden Arealen des Gehirns ziehen.

[27] Stärkere Zuwendung zwischen Familienmitgliedern sei dadurch bedingt, dass Lebewesen den eigenen Genen einen Vorteil verschaffen wollten – so lautet eine völlig unbewiesene, nichtsdestoweniger überaus beliebte Hypothese, die von der Soziobiologie, unter anderem von Richard Dawkins, formuliert und mittlerweile in den Rang einer Ideologie erhoben wurde. Mit den Ideen von Dawkins setzt sich das Kapitel 5 auseinander. Der stärkere Zusammenhalt innerhalb von Familien ergibt sich vor allem über das Oxytozin-System (dazu an anderer Stelle mehr).

macht wurden, passen perfekt zu Untersuchungen an Tieren, bei denen sich die Aktivität des Motivationszentrums biochemisch auf direktem Wege messen ließ. Frances Champagne aus der kanadischen Arbeitsgruppe von Michael Meaney konnte zeigen, dass das Ausmaß mütterlicher Zuwendung direkt mit der Menge des vom Motivationszentrum des Muttertiers ausgegebenen Dopamins korreliert war. Mütterliche Tiere zogen den Kontakt mit ihren Jungen selbst dann vor, wenn ihnen als Alternative die auch bei Tieren sehr beliebte Droge Kokain angeboten wurde. Verabreichte man den Tieren allerdings *ohne deren Zutun* entweder einen Motivationshemmstoff (ein Neuroleptikum) oder eine das Motivationssystem ersatzbefriedigende Droge wie Kokain, blieb das elterliche Fürsorgeverhalten aus – die Motivationssysteme hatten nach Kokaingabe aufgrund ihrer Ersatzbefriedigung dann sozusagen schon das, was sie wollten.

Besonders heftig reagieren die Motivationssysteme des Menschen, wenn Liebe im Spiel ist, egal, ob es sich um elterliche, kindliche oder sexuelle Liebe handelt. Eine Reihe von Forschern, unter ihnen der New Yorker Neurobiologe Arthur Aron und der inzwischen in Tübingen arbeitende Andreas Bartels, interessierten sich für die Rolle der Motivationssysteme bei der romantischen Verliebtheit. Sie legten verliebte Probandinnen und Probanden in die Kernspinröhre, ließen sie Bilder ihrer Liebespartner betrachten und verglichen die im Gehirn hervorgerufenen Signale mit den Signalen, die durch die Betrachtung einer anderen Person hervorgerufen wurden. Das Kernstück des Motivationssystems, also die

Dopamin-Achse[28], fühlte sich sofort angesprochen und reagierte. Versuche dieser Art zeigen auch hier wieder, dass bereits der Anblick, also das »In-Aussicht-Stellen«, des begehrten Liebesobjekts die Motivationssysteme anspringen lässt. Es muss jedoch, wie schon ausgeführt, nicht immer Liebe sein.[29] Jede Form von zwischenmenschlicher Resonanz und erlebter Gemeinschaft scheint die Motivationssysteme zu erfreuen.

Soziale Resonanz als neurobiologisches Motiv

Eine besondere Form sozialer Resonanz ist das gemeinsame Lachen. Dean Mobbs und Allan Reiss aus Stanford konnten zeigen, dass Witze, Humor und das damit verbundene Lachen an eine Reaktion des Kernstücks der Dopamin-Achse gekoppelt ist.[30] Kein Wunder, denn ge-

---

[28] Beobachtet wurde eine Aktivierung der Basiskomponente (VTA) wie auch des Bereiches um den Nucleus accumbens herum, also der vorderen Komponente (des »Kopfstücks«).

[29] Felicitas Kranz und Alumit Ishai (2005) von der Universität Zürich konnten an menschlichen Versuchspersonen nachweisen, dass bereits das Sehen eines sympathischen Gesichtes – auch dann, wenn mit der betreffenden Person noch gar keine Bekanntschaft besteht – den Nucleus accumbens aktiviert.

[30] Siehe Übersichtsarbeit von Gregory Berns (2004). Jaak Panksepps Arbeitsgruppe hat überzeugende Hinweise dafür gefunden, dass auch niedere Säugetiere eine – vom Menschen durch die Tonfrequenz deutlich unterschiedene – Form des Lachens kennen, die vor allem dann auftritt, wenn jüngere Tiere miteinander spielen. Begleitend dazu kommt es auch hier zu einer Aktivierung des Motivationssystems. Siehe dazu auch Burgdorf et al. (2005). Dass dem Spiel und der Freude im gesamten Tierreich eine zentrale, von der Soziobiologie völlig ausgeblendete Rolle zukommt, beschrieb jüngst auch der kanadische Verhaltensforscher Jonathan Balcombe (2006).

meinsames Lachen verbindet. Allan Reiss beobachtete dabei, dass Frauen auf Humor neurobiologisch stärker reagieren als Männer.[31] Daraus sollten keine voreiligen Schlussfolgerungen gezogen werden, denn die neuerdings so oft betonten neurobiologischen Geschlechtsunterschiede sind bei genauer Betrachtung geringer, als oft behauptet wird.[32] Im Falle der Reaktion auf Humor mag der Unterschied an dem Umstand liegen, dass Männer möglicherweise mehr zu Stress neigen. Denn die von Reiss durchgeführten Studien zeigen außerdem, dass Persönlichkeiten, die emotional ausgeglichen und gegenüber Stress besonders resistent sind[33], auf Humor mit einer deutlich stärkeren Aktivierung ihres Dopamin-Motivationssystems reagieren als andere. Auch Musik scheint dem Motivationssystem zu gefallen. Neben einer Mobilisierung verschiedener Emotionszentren beobachteten Hirnforscher bei Probanden, die schöner Musik zuhörten, eine ausgeprägte Reaktion des Dopamin-Systems.[34] Dies ist deshalb interessant, weil Musik bekanntlich das Phänomen der Resonanz – allerdings in seiner *physikalischen* Dimension – zur Grundlage hat. Dass wir uns als *biologische* Wesen von dieser Resonanz nicht nur berühren lassen können, sondern auch unter dem Einfluss von Musik, die wir als schön empfinden, *untereinander* die

---

[31] Siehe Eiman Azim et al. (2005).

[32] Siehe dazu eine lesenswerte Untersuchung von Janet Shibley Hyde (2005).

[33] Dies waren Personen, die in einem Persönlichkeitstest besonders niedrige Werte auf der Skala »Neurotizismus« hatten.

[34] Siehe Arbeiten von Steven Brown (2004), von Vinod Menon (2005) sowie von Anne Blood und Robert Zatorre (2001).

psychologische Resonanz verstärken, ist ein bemerkenswertes, ja geradezu magisch anmutendes Parallelphänomen von Physik und Biologie. Musik ist – vor allem verbunden mit gemeinsamer Bewegung oder mit Tanz – in der Lage, kooperatives Verhalten in sozialen Gemeinschaften zu verstärken. Diese Bedeutung der Musik scheint auch der Körper zu empfinden. Es sind also nicht nur Akte unmittelbarer zwischenmenschlicher Zuwendung, die unser Motivationssystem anspringen lassen, sondern – neben dem Humor – auch andere Resonanzphänomene wie die Musik, welche mittelbar soziale Verbundenheit herstellen und verstärken.

Spezialisiert auf Bindung und Vertrauen: Der Botenstoff Oxytozin

Bekanntschaften – auch die von zahlreichen Säugetieren – unterscheiden sich durch ihre Haltbarkeit. Man kann eine Bekanntschaft machen und sie kurz darauf wieder vergessen. Anderer Bekanntschaften erinnert man sich, ohne dass daraus eine Bindung wird. Schließlich gibt es Begegnungen, die in eine länger dauernde Beziehung einmünden. Dieser Unterschied existiert auch aus neurobiologischer Sicht. Gewöhnlich geht mit positiver Verbundenheit ein Gefühl einher, das wir Vertrauen nennen. Über die eigene soziale Zugehörigkeit Bescheid zu wissen und zu spüren, wem – und in welchem Ausmaß – man durch Vertrauen verbunden ist, spielt in allen Varianten des sozialen Umgangs eine zentrale Rolle, im alltäglichen Umgang, in Partnerschaften und in der Beziehung zwischen Eltern und ihren Nachkommen. Auch Tiere können zwischen ihnen unbekannten Tieren und solchen, die ihnen bekannt sind, unterscheiden.[35] Obwohl es sich um unterschiedliche Formen sozialen Verbundenseins handelt, hat das Wissen darüber, wen man kennt, wem man vertraut und wem man im Rahmen einer stabilen Beziehung verbunden ist, ein gemeinsames neurobiologisches Korrelat. Die verschiedenen Spielarten des Sich-Kennens werden durch einen beim Menschen und bei Säugetieren vorhandenen körpereigenen Botenstoff möglich gemacht: Oxytozin.[36] Oxytozin ist interessanterweise sowohl Ursache als auch Wirkung von Bindungserfahrungen: Es wird einerseits verstärkt hergestellt, wenn es zu einer Vertrauen stiftenden oder zu einer eine feste Bindung einleitenden Begegnung kommt. Oxytozin hat andererseits aber auch umgekehrt den Effekt, dass es Bindungen, die zu seiner Ausschüttung geführt haben, rückwirkend stabilisiert, indem es die Bereitschaft erhöht, Vertrauen zu schenken.

---

[35] Allerdings kommt es nur bei etwa 5 Prozent aller Säugetierarten, abgesehen von Beziehungen zum Zwecke der Paarung und Beziehungen zwischen Eltern und Nachwuchs, zu festen Paarbindungen.

[36] Entdeckt wurde Oxytozin einst aufgrund seiner Wirkungen im Rahmen des Geburtsvorgangs: Das während der Geburt im Hypothalamus der Frau gebildete Oxytozin sorgt – neben seinen erst später entdeckten neurobiologischen und psychischen Effekten – dafür, dass die in der Brustdrüse gebildete Milch in die Milchgänge der Brust gelangt. Saugt das Baby, führt dieser Reiz wiederum zur Bildung von noch mehr Oxytozin. Ein weiterer gynäkologischer Effekt des Oxytozins besteht darin, dass es die Gebärmutter dazu bringt, sich nach der Geburt wieder zusammenzuziehen. Wegen seiner Fähigkeit, die Gebärmutter zu Kontraktionen zu veranlassen, wird Oxytozin, welches künstlich hergestellt werden kann, auch zur Einleitung der Geburt verwandt – was leider viel zu häufig und meistens ohne ausreichende medizinische Begründung geschieht.

Beides wurde experimentell gezeigt. Der US-Forscher Paul Zak konnte feststellen, dass Personen als Folge einer geschäftlichen Transaktion, in der ihnen Vertrauen entgegengebracht wurde, erhöhte Oxytozin-Werte aufweisen.[37] Umgekehrt gelang einer Arbeitsgruppe um Otto Fehr von der ETH Zürich der Nachweis, dass Oxytozin die Bereitschaft, anderen zu vertrauen, erhöht. Er untersuchte das Verhalten von Probanden, die sich in einer experimentellen Situation befanden, in der sie entscheiden mussten, wie viel Geld sie einem Treuhänder anvertrauen wollten. Probanden, denen zuvor Oxytozin verabreicht worden war, vertrauten ihrem Verhandlungspartner signifikant mehr Geld an.[38] Da Oxytozin ein ausgeprägtes Glücks- und Genusspotenzial hat, erfüllt auch dieser Botenstoff – ähnlich wie Dopamin – die Voraussetzungen eines Motivators: Bewusst oder unbewusst tendieren wir dazu, unser Verhalten so zu organisieren, dass es in uns zu einer Ausschüttung dieser Substanz kommen möge. Auch Oxytozin leistet daher einen Beitrag dazu, dass unser Gehirn, wann immer es möglich ist, Zuwendung und Kooperation sucht.

Dopamin und Oxytozin bilden ein kooperierendes, aufeinander abgestimmtes System: Die Motivationsdroge Dopamin spielt für *alles* motivierte Tun eine zentrale Rolle und damit auch für das Eingehen von dauerhaften Bindungen. Wenn es jedoch darum geht, ein »soziales Gedächtnis« auszubilden, also zu erinnern, wen man kennt und wen nicht, erst recht aber, wenn es darum

---

[37] Zak et al. (2005).

[38] Siehe Michael Kosfeld et al. (2005) sowie Kapitel 6.

geht, feste Bindungen einzugehen, dann reicht Dopamin *allein* nicht aus. Hierfür ist Oxytozin als zweiter, zusätzlicher Botenstoff von unersetzlicher Bedeutung. Zusammengefasst heißt dies: Die Dopamin-Achse des Motivationssystems kann ihre Arbeit zwar unabhängig von Oxytozin verrichten und dementsprechend für Basismotivation sorgen. Um aber den Umstand, jemanden besser zu kennen als andere, mit in die eigene Gesamtmotivation einzubeziehen, bedarf es der zusätzlichen Mitwirkung des Bindungshormons Oxytozin. Dieses Zusammenspiel von Dopamin und Oxytozin im Gehirn ist auf sehr elegante Art geregelt: Die Dopamin-Achse, das Kernstück des Motivationssystems, erhält, wie schon beschrieben, von den Emotionszentren des Gehirns[39] Informationen darüber, ob in der Außenwelt Objekte vorhanden sind, für die es sich lohnt, aktiv zu werden. Genau dort aber, in den Emotionszentren, entfaltet Oxytozin seine Wirkung, indem es an die hier reichlich vorhandenen Oxytozin-Rezeptoren bindet. Zusätzlich kann sich Oxytozin auch direkt an die Strukturen der Dopamin-Achse anheften. Dies hat zur Folge, dass die Motivation speziell gegenüber solchen anderen Individuen verstärkt wird, mit denen positive soziale Erfahrungen gemacht werden konnten.

---

[39] Bei diesen handelt es sich, wie bereits an früherer Stelle erwähnt, um den Anterioren Cingulären Cortex ACC, der das oberste Emotionszentrum darstellt, sowie um die Mandelkerne (Amygdala).

Besonders hilfreich für die wissenschaftliche Aufklärung der Bedeutung von Oxytozin war eine Kuriosität aus der Tierwelt: Auf dem nordamerikanischen Kontinent leben zwei biologisch nahezu identische Varianten von Wühlmäusen, die sich nur in einem unterscheiden: Bei der einen Variante, den Bergwühlmäusen (im Englischen »mountain voles« genannt), ist die Motivation zur Paarung ungestört, die Partner gehen nach der Paarung jedoch getrennte Wege. Demgegenüber bleiben bei der anderen Variante, den Präriewühlmäusen (»prairie voles«), die Partner auch nach der Paarung langfristig zusammen. Damit hatte man eine von der Natur bereitgestellte, für die Untersuchung der neurobiologischen Aspekte von Bindung geradezu ideale experimentelle Situation. Was war der *neurobiologische* Unterschied zwischen den in der Prärie und den in den Bergen lebenden Tieren? Das Ergebnis war: Bei den Bergwühlmäusen ohne Bindungsverhalten fehlen im Gehirn die Empfängermoleküle bzw. Bindungsstellen für Oxytozin, die so genannten Oxytozin-Rezeptoren. Oxytozin kann daher keine Wirkung entfalten. Präriewühlmäuse dagegen hatten, was jeder Botenstoff braucht: einen zu ihm passenden Rezeptor, an den er andocken und seine Effekte wirksam werden lassen kann. Nur bei Vorhandensein eines Oxytozin-Rezeptors, wie es bei den Präriewühlmäusen der Fall ist, kann es zu einer psychobiologischen Wirkung von Oxytozin kommen, und diese Wirkung heißt: Motivation, Interesse und Lust an länger dauernder Partnerschaft.[40]

---

[40] Siehe Larry Young und Zuoxin Wang (2004).

Aus der Frage, wie lange Bindungen bestehen bleiben, sollte sich die Neurobiologie besser heraushalten. Oxytozin ist kein Garant für lebenslange Bindungen. Dieser Wunschvorstellung steht der so genannte »Coolidge-Effekt« entgegen: Calvin Coolidge, dreißigster Präsident der USA, besuchte mit seiner Frau einst eine Farm. Als man Mrs. Coolidge einen Hahn zeigte, der acht- bis zwölfmal täglich eine Henne besteigen konnte, soll sie ausgerufen haben: »Sagen Sie das mal meinem Mann!« Der Präsident hörte das und fragte: »Immer mit derselben Henne?!« Als man ihm erklärte, dass es jedes Mal eine andere Henne sei, entgegnete er: »Sagen Sie das mal meiner Frau!«

Ungeachtet des »Coolidge-Effektes« gehören sowohl Dopamin als auch Oxytozin zu jenen Motivationsbotenstoffen, die den Menschen auf gelingende Beziehungen und Kooperation hin polen. Die Produktionsstätte von Oxytozin liegt abseits der Dopamin-Achse in einer Hirnstruktur namens Hypothalamus, die eine zentrale Rolle für die Regulation des inneren Körpermilieus spielt und im Körper die Konzentrationen verschiedener Hormone einstellt. Angeregt wird die Bildung von Oxytozin durch alle Formen freundlicher Interaktion, besonders aber durch Zärtlichkeiten: Streicheln oder sanftes Massieren der Haut, Stimulation der erogenen Zonen, Saugen an den Brüsten (sei es durch das Baby, sei es als erotische Handlung). Zu einer Steigerung der Oxytozin-Synthese kann es bereits dann kommen, wenn Personen auftauchen, von denen entsprechende Zärtlichkeiten erwartet oder erwünscht werden. Ähnlich wie beim Dopamin, so kann auch der Genuss von Musik die Oxytozin-Synthese befördern. Alles, was zwischenmenschliche Resonanz und soziale Verbundenheit erzeugt, scheint für die Bildung dieses Glücksbotenstoffes gut zu sein: Selbst das gemeinsame Singen, aber auch gemeinsames Lachen stimuliert die Oxytozin-Produktion. Zu einer besonders ausgeprägten Oxytozin-Freisetzung kommt es beim sexuellen Höhepunkt. Einen starken Reiz zur Bildung von Oxytozin stellt auch der Geburtsvorgang dar, wobei hier die mit der Geburt verbundene Dehnung des Geburtskanals eine wichtige Rolle spielt (Frauen, die mit Kaiserschnitt entbinden, zeigen im Verlauf der Geburt einen geringeren Anstieg der Oxytozin-Produkion). Aber auch unabhängig vom Geburtsakt selbst sorgt die Geburt eines Kindes für einen ausreichenden Oxytozin-Rausch, denn auch die Väter zeigen bei der Geburt ihrer Kinder einen Oxytozin-Anstieg. Liebeserfahrungen jeder Art aktivieren die Produktion dieser körpereigenen Wohlfühl- und Gesundheitsdroge.

Warum Bindungen gesund erhalten: Oxytozin als Gesundheitsdroge

Dass uns Oxytozin an andere bindet, hat nicht nur mit seinen Wohlfühleffekten zu tun. Oxytozin hat auch eine Reihe von medizinischen Effekten: Dieses kleine Molekül sorgt für körperliche und psychische Entspannung, senkt den Blutdruck, dämpft die Angstzentren und vermag die biologischen Stresssysteme zu beruhigen.[41] Da der Boten-

[41] Elliot Friedman (2005) publizierte kürzlich eine Studie, in der nachgewiesen wurde, dass gute soziale Beziehungen die Schlafqualität

stoff, wie bereits angedeutet, auch dazu beiträgt, dass sich andere Lebewesen, in deren Gegenwart gute Erfahrungen gemacht werden konnten, in das emotionale Gedächtnis einprägen, heißt dies: Personen, die durch ihre Zuwendung, durch ihre Anerkennung oder Liebe unsere Oxytozin-Produktion stimuliert haben, werden *zusammen mit der Erinnerung an die mit ihnen erlebten guten Gefühle* in den Emotionszentren unseres Gehirns abgespeichert. Dies passiert automatisch und ohne unsere bewusste Kontrolle. Was sich hier abspielt, ist das neurobiologische Substrat eines Phänomens, das wir im Alltag als Vertrauen und in der Psychologie als Bindung bezeichnen.[42] Menschen, mit denen wir gute Erfahrungen machen konnten, wirken deshalb auf uns wie ein Stimulus, wie eine Art Verführungsreiz. Sobald sie entweder real, in unserer Vorstellung oder in unserer Erinnerung auftauchen, aktivieren sie unsere Motivationssysteme:

---

verbessern, die Konzentration eines Stress- und Alterungsbotenstoffes (Interleukin-6) senken und die Lebenserwartung erhöhen. Umgekehrt stellte Janice Kiecolt-Glaser (2005) fest, dass zwischenmenschliche Konflikte zu einem Anstieg der Interleukin-6-Werte führen, die Wundheilung verzögern und die Wahrscheinlichkeit von Herzattacken signifikant erhöhen.

[42] Auch Tiere prägen sich ein, welches andere Tier sie »kennen«. Wenn zwei Tiere das erste Mal zusammentreffen, beginnen sie ein ausführliches Beschnupperungsritual, welches bei weiteren Treffen dann zugunsten eines kurzen Schnuppergrußes entfällt. Tiere, bei denen man mittels einer genetischen Manipulation das Oxytozinsystem ausgeschaltet hat, können andere Tiere, denen sie bereits begegnet sind, nicht in Erinnerung behalten. Bei jedem neuen Zusammentreffen verhalten sie sich so, als wäre es die allererste Begegnung. Weibliche Tiere mit einem gentechnisch ausgeschalteten Oxytozinsystem neigen, wenn sie Junge gebären, außerdem dazu, ihre Nachkommen aufzufressen (Takayanagi et al., 2005).

Sie rufen die Sehnsucht nach mehr hervor, wir fühlen uns zu ihnen hingezogen oder halten uns zumindest gern in ihrer Gegenwart auf. Weil wir auf Bindung geeicht sind, sind wir bereit, für solche Menschen alles zu tun, ja, uns für sie aufzuopfern. Zunehmend wird deutlich: Die stärkste und beste Droge für den Menschen ist der andere Mensch.

Die Rolle der Gene: Sind zwischenmenschliche Bindungen »angeboren«?

Nichts wäre irriger als die Annahme, es gäbe eine genetische Ausstattung, die eine Art Garantie dafür darstelle, dass der Mensch sich im Hinblick auf seine Beziehungs- und Kooperationsfähigkeit gesund entwickelt. Die genetische Ausstattung kann lediglich garantieren, dass die neurobiologischen Werkzeuge dafür vorhanden sind. Entscheidend für die Fähigkeit, genetisch bereitgestellte Systeme auch einzusetzen, ist, ob sie – vor allem in der Frühphase des Lebens – »eingespielt« und benutzt werden konnten, und das heißt: ob Lebewesen in ihrer Umwelt gute Erfahrungen mit anderen Individuen machen konnten.[43] Als Erwachsene können wir selbst daran mitwirken, dass Kooperation gelingt. Als Neugeborene, als Kin-

[43] Umwelterfahrungen wirken sich erwiesenermaßen auf die Aktivität der Gene aus und haben Einfluss auf die Mikrostrukturen des Gehirns, ein als »Neuroplastizität« bezeichnetes Phänomen. Eine Übersicht dazu findet sich bei Joachim Bauer: Das Gedächtnis des Körpers (2004).

der und eine Zeit lang auch noch als Jugendliche sind wir jedoch darauf angewiesen, dass uns gute zwischenmenschliche Erfahrungen geschenkt werden. Für das Funktionieren und Instandhalten aller biologischen Systeme gilt ein Satz aus der amerikanischen Hirnforschung, der lautet: »Use it or lose it«, also »Benutze es (das, was die Gene bereitstellen), oder du wirst es verlieren«. Für die Motivationssysteme heißt dies: *Bleiben während Kindheit und Jugend gute Beziehungserfahrungen aus, hat dies fatale Folgen für die spätere Beziehungsfähigkeit der betroffenen Individuen.* Dies sind keine unbewiesenen Behauptungen, sondern ließ sich in Studien belegen. Fehlende Zuwendung in der Frühphase des Lebens beeinflusst nicht nur die spätere Fähigkeit, soziale Verbundenheit zu erleben, sondern hinterlässt bei den Motivationssystemen auch biologische Spuren. Kelly Watts und Maggie Zellner stellten im Rahmen von Tierversuchen fest, dass Neugeborene im späteren Leben selbst dann eine deutliche Funktionsstörung ihrer Motivationssysteme aufweisen, wenn sie in der Zeit nach der Geburt nur vorübergehend (ein bis zwei Wochen lang) von ihren Müttern getrennt worden waren. Bei jungen Menschenaffen beobachtete Douglas Kerr zusammen mit Kollegen eines Primatenzentrums in Oregon, dass Affen, die im Alter von einer Woche von ihren Müttern getrennt worden waren, im späteren Leben ein beeinträchtigtes Sozialverhalten zeigten. Anstatt, wie normal aufgewachsene Tiere, soziale Anlehnung zu suchen, entwickelten diese Tiere ein erhöhtes Maß an Aggression. Zu den durch Vernachlässigung verursachten neurobiologischen Veränderungen scheint auch die Tatsache zu zählen, dass die Motivationssysteme auf Drogen stärker ansprechen: Eine Forschergruppe der McGill University in Montreal fand heraus, dass früh im Leben von ihren Müttern getrennte Tiere heftiger auf Aufputschdrogen wie zum Beispiel Amphetamin reagierten.[44]

Von Geburt an auf Zuwendung eingestellt

Die neurobiologische Orientierung des Menschen besteht vom ersten Lebenstag an. Mangelnde Zuwendung in der Frühphase der Entwicklung eines Menschen beschädigt die Motivationssysteme seines Körpers. Besonders eindrucksvoll, aber auch berührend ist eine Untersuchung an Kindern, welche die US-Wissenschaftler Alison Fries und Seth Pollak durchführten. Sie untersuchten zusammen mit einigen Kollegen Kinder im vierten Lebensjahr, die eine sehr unterschiedliche Vorgeschichte hatten. Die eine Hälfte der Vierjährigen war nach der Geburt – aus unterschiedlichen Gründen – von ihren Eltern verlassen oder getrennt worden. Diese Kinder hatten die ersten etwa sechzehn Lebensmonate in Kinderheimen zubringen müssen, in denen sie zwar ausreichend mit Nahrung versorgt, sonst aber einem hohen Maß an psychischer Vernachlässigung ausgesetzt worden waren. Kurz nach Vollendung des ersten Lebensjahres waren sie aber durch Adoptionseltern aufgenommen und von da an gut und

---

[44] Siehe Pomarenski et al. (2005). Bei den im Fall des Aufmerksamkeitsdefizit-Hyperaktivitäts-Syndroms ADHS verordneten Medikamenten handelt es sich um Abkömmlinge des Amphetamins.

liebevoll versorgt worden. Bei der anderen Hälfte der Vierjährigen handelte es sich um normal aufgewachsene Kinder, die von Geburt an von ihren Eltern umsorgt worden waren. Die Studie bestand darin, dass die Kinder beider Gruppen, jeweils einzeln, zusammen mit der jeweiligen Mutter bzw. Adoptivmutter in eine Spielsituation versetzt wurden, wobei die Mütter dem Kind nebenher Zärtlichkeiten zuteil werden ließen (beiläufiges Streicheln und Ähnliches). Die von Geburt an bei ihren Eltern aufgewachsenen Kinder zeigten im Verlauf der Spielszene einen messbaren Oxytozin-Anstieg.[45] Bei den Vierjährigen aus der Gruppe derjenigen Kinder hingegen, die das erste Lebensjahr in Heimen verbracht hatten und die nun in der gleichen Weise mit ihren Adoptivmüttern spielten, kam es zu einem im Vergleich dazu hochsignifikant verminderten Anstieg ihres Oxytozins, obwohl ihnen die Adoptivmütter in gleicher Weise Zuwendung und Zärtlichkeit hatten zuteil werden lassen. Keine Frage: Die Fürsorge und Liebe, welche die Heimkinder durch ihre Adoptiveltern erfahren konnten, war für sie gleichsam lebensrettend, ohne Adoption hätten sie – auch dazu liegen zahlreiche Studien, allerdings von anderen Arbeitsgruppen, vor – weit verheerendere Folgeschäden erlitten. Dennoch, die Untersuchung zeigt, wie nachhaltig Erfahrungen von Lieblosigkeit und Vernachlässigung im Körper auf längere Zeit abgespeichert

[45] Im Falle dieser von Fries und Pollak (2005) durchgeführten Untersuchung wurde das Oxytozin im Urin der Kinder gemessen. Dabei wurden die Messwerte vor und nach der etwa halbstündigen Spielsituation verglichen.

werden und welche Spuren sie in den Motivationssystemen hinterlassen. »Gute Gene« sind daher alles andere als eine Garantie für eine gesunde Entwicklung.[46] Gene können ihre Funktion nur im engen Zusammenspiel mit der Umwelt wahrnehmen.

Menschliche Zuwendung als Medikament: Die körpereigenen Opioide

Dopamin, Oxytozin und endogene Opioide bilden einen neurobiologischen, durch die Motivationssysteme des Gehirns erzeugten Dreiklang. Dass Dopamin und Oxytozin den Menschen in Richtung Beziehung und Kooperation motivieren, wurde eingehend dargestellt. Doch welche Rolle spielen in diesem Zusammenhang die endogenen Opioide? Sind sie lediglich unspezifische körpereigene Wohlfühl-, Schmerz- und Beruhigungsmittel, oder haben auch sie darüber hinausgehende, das zwischenmenschliche Beziehungsgeschehen betreffende Funktionen? Wichtige Untersuchungen zu dieser Frage stammen von einer Arbeitsgruppe um den amerikanischen Neurobiologen Jon-Kar Zubieta von der Ann Arbor University in Michigan. Er entwickelte eine raffinierte Methode, mit deren Hilfe er bei Menschen messen konnte, in welchem Ausmaß endogene Opioide an ihre im Gehirn befindlichen Empfängerstationen gebunden waren.[47]

---

[46] Siehe dazu auch Leon Eisenberg (2005).

[47] Jon-Kar Zubieta (2005) konzentrierte seine Untersuchungen dabei auf den so genannten μ-Opioid-Rezeptor. An ihn bindet vor allem die Unter-

Bei der Untersuchung von Versuchspersonen zeigte sich, dass die Beladung dieser Bindungsstellen mit endogenen Opioiden unter normalen Bedingungen gering ist. Wurde den menschlichen »Versuchskaninchen«, die dem Versuch vorher natürlich freiwillig zugestimmt haben mussten, ein anhaltender Schmerz zugefügt[48], kam es im Gehirn zu einem messbaren Anstieg der endogenen Opioid-Ausschüttung, verbunden mit einer Zunahme der Beladung ihrer Rezeptoren. Dies bedeutet: Der Körper versucht sich mit Hilfe seiner körpereigenen Opioide gegen den Schmerz zu schützen. Zubieta beobachtete nun, was passierte, wenn ein Teil der unter Schmerzen stehenden Probanden von einem Arzt betreut wurde, der ihnen – so wurde ihnen gesagt – ein schmerzlinderndes Medikament verabreichen würde. Tatsächlich handelte es sich bei diesem »Medikament« – dies wurde den Probanden aber nicht mitgeteilt – um ein Placebo, eine wässrige Lösung, in der sich keinerlei Wirkstoff befand. Was sie also tatsächlich erhielten, war lediglich die Zuwendung eines Arztes, der versprochen hatte, ihnen zu helfen. Diese aber zeigte eine erstaunliche Wirkung. Probanden, denen diese »Behandlung« zuteil wurde, gaben nicht nur eine deut-

---

gruppe der endogenen Opioide, die als Endorphine bezeichnet werden. Zubieta führte seine Untersuchungen mit markierten Molekülen durch, die an den µ-Opioid-Rezeptor andocken können. Je weniger die Rezeptoren von außen zugeführte Moleküle binden konnten, desto stärker mussten sie mit körpereigenen Opioiden besetzt sein. Die Beladung der Rezeptoren maß er mittels der Positronen-Emissions-Tomographie (PET).

[48] Die Probanden bekamen, dies wurde vor dem Versuch mit ihnen verabredet, eine Salzlösung in einen Muskel injiziert. Eine solche Injektion führt zu deutlichen Schmerzen, hinterlässt aber keine bleibenden Schäden.

liche, etwa fünfzigprozentige subjektive Besserung ihrer Schmerzen an[49], sondern zeigten auch eine signifikante weitere Zunahme der Aktivität ihrer endogenen Opioide. *Pure zwischenmenschliche Zuwendung, verbunden mit dem Versprechen, Hilfe zu leisten, hatte also das körpereigene Opioid-System aktiviert und die Beschwerden der Betroffenen subjektiv wahrnehmbar gebessert.* Bei den Probanden, denen man offen gesagt hatte, dass sie eine unwirksame Wasserlösung bekommen würden, blieb die Situation im Opioid-System dagegen unverändert, auch eine subjektive Schmerzlinderung blieb aus. Beobachtungen dieser Art sollten einer Medizin, in der die therapeutische Beziehung zwischen Arzt und Patient zunehmend gering geschätzt und außer Acht gelassen wird, zu denken geben.[50]

---

[49] Zur Messung subjektiver Schmerzen wurde eine Skala benutzt, auf der die Probanden die Schmerzintensität zwischen 1 (minimaler Schmerz) und 10 (maximaler Schmerz) markieren konnten.

[50] Der Wissenschaftsjournalist Jörg Blech berichtet in seinem Buch »Heillose Medizin« von einer Studie an Sportlern mit einem Kniegelenkschaden. Kniespiegelungen (Arthroskopien), die ohne oder mit Spülung des Kniegelenks durchgeführt wurden, hatten in beiden Fällen keinen besseren Effekt als Scheinoperationen, die man den Sportlern als Arthroskopien ankündigte, bei denen tatsächlich aber nur kleine Hautschnitte gesetzt worden waren. Während Jörg Blech dabei den Akzent auf kostspielige, aber nutzlose Untersuchungen in der Medizin setzt, sollte dies meines Erachtens aber auch als Hinweis darauf gesehen werden, dass die ärztliche Zuwendung eine in der Medizin unterschätzte und vernachlässigte Rolle spielt.

Neugeborene unter »Drogeneinfluss«: Liebe als Beruhigungsmittel

Dass die zwischenmenschliche Beziehung eine hochwirksame Medizin ist, gilt nicht nur für den Menschen, sondern auch für andere Spezies der Säugetierfamilie. Die pharmakologische Wirkung von Zuwendung ist nicht nur bei Erwachsenen zu beobachten, sondern lässt sich auch bei Neugeborenen[51] nachweisen, was bedeutet, dass sie auch ohne Beteiligung des bewussten Denkens erfolgt und weder unseres Willens noch irgendwelcher geistiger Fähigkeiten bedarf. Ein sehr eleganter Nachweis gelang dazu Anna Moles und Francesca D'Amato, zwei italienischen Wissenschaftlerinnen eines Hirnforschungsinstituts an der Universität Rom. Schon seit längerem ist bekannt, dass neugeborene Nagetiere ein heftiges Fiepen von sich geben, sobald die Mutter sich für etwas längere Zeit vom Nest entfernt.[52] Ebenso weiß man seit längerem, dass sich die Jungtiere sofort beruhigen, wenn sie kleine Mengen von Opiaten erhalten, und zwar bereits bei Minidosierungen, die nicht ausreichen würden, um einen schmerzlindernden oder gar einschläfernden Effekt zu erzielen. Dies war erstaunlich und ließ die Vermutung entstehen, dass die anwesende Mutter einerseits und die Gabe von Opiaten andererseits im Körper der Neugebo-

---

[51] Diesbezügliche Untersuchungen bei Neugeborenen wurden an Säugetieren durchgeführt. Die Ergebnisse sind jedoch auf den Menschen übertragbar.

[52] Da sich das Fiepen (»ultrasonic vocalizations«) im Ultraschallbereich abspielt, den Menschen nicht hören können, sind für entsprechende Untersuchungen Messinstrumente notwendig.

renen möglicherweise den gleichen Wirkmechanismus ansprechen. Die Tatsache, dass Neugeborene in massive Erregung geraten, wenn die Mutter abwesend ist, würde dann quasi einer Situation entsprechen, die dem Entzug einer Droge ähnelte.[53]

Anna Moles und Francesca D'Amato fanden einen genialen Weg, die Frage, ob elterliche Zuwendung ihre Wirkung über das körpereigene Opioid-System der Neugeborenen entfaltet, direkt zu klären. Sie veränderten frisch befruchtete Eizellen von Mäusen mit gentechnischen Mitteln so, dass bei den im Leib der Mutter heranwachsenden Tieren das Gen für den Opioid-Rezeptor lahm gelegt war. Die sich so entwickelnden Mäuse hatten alles, was auch ganz normale Mäuse hatten – nur eben kein funktionierendes körpereigenes Opioid-System. Die Überlegung der beiden Forscherinnen war nun: Wenn die Annahme zuträfe, dass die Abwesenheit der Mutter für normale Säuglinge tatsächlich einen Opioid-Entzug bedeutet, dann sollten Säuglinge ohne körpereigenes Opioid-System eigentlich davor bewahrt sein, auf die Abwesenheit der Mutter mit großer Erregung zu reagieren. Genau dies war der Fall. So konnten Moles und D'Amato auf elegante Weise nachweisen, dass Zuwendung nicht nur bei Erwachsenen, sondern auch bei Säuglingen eine massive, beruhigende biologische Wirkung hat. Die Schlussfolgerung aus diesem Versuch:

---

[53] Dies erinnert nochmals an den bereits erwähnten Artikel von Thomas Insel vom US-amerikanischen NIMH aus dem Jahre 2003, den er mit dem Titel überschrieben hatte: »Is social attachment an addictive disorder?«, also: »Ist soziale Bindung eine Suchtkrankheit?«

Das Opioid-Motivationssystem orientiert uns, ebenso wie die beiden anderen Systeme, auf gelingende soziale Beziehungen.

Wenn Beziehungen nicht gelingen: Angst, Schmerz und die biologische Stressreaktion

Wer Menschen nachhaltig motivieren will, dies ist die unabweisbare Konsequenz aus den dargestellten neurobiologischen Daten, muss ihnen die Möglichkeit geben, mit anderen zu kooperieren und Beziehungen zu gestalten. Dies hat weit reichende Konsequenzen für die Arbeitswelt, für das Führungsverhalten von Vorgesetzten und Managern, für das Medizinsystem und für die Pädagogik.[54] Da sie mit der Ausschüttung der Glücksbotenstoffe Dopamin, Oxytozin und Opioide einhergehen, sind gelingende Beziehungen das unbewusste Ziel allen menschlichen Bemühens. Ohne Beziehung gibt es keine dauerhafte Motivation. Die von den Motivationssystemen ausgeschütteten Botenstoffe »belohnen« uns nicht nur mit subjektivem Wohlergehen, sondern – wie bereits gezeigt – auch mit körperlicher und mentaler Gesundheit. Dopamin sorgt für Konzentration und mentale Energie, die wir zum Handeln benötigen. Besonders gesundheitsrelevant ist jedoch das, was Oxytozin und die endogenen Opioide leisten: Sie reduzieren Stress und Angst, indem sie das Angstzentrum der Mandelkerne (Amygdala) und das oberste Emotionszentrum (Anteriorer Cingulärer

[54] Siehe dazu Kapitel 7.

Cortex, ACC) beruhigen.[55] Belastete und belastende Beziehungen führen nicht nur zu einem »Sinkflug« der Motivationssysteme. Wenn die Ausschüttung von Oxytozin und Opioiden ausbleibt, entfallen auch die erwähnten beruhigenden Wirkungen auf das Angst- und das oberste Emotionszentrum. Dies hat eine neurobiologische Erregungsreaktion zur Folge. In Normalfall, also bei Beziehungskonflikten, wie sie im Alltag laufend vorkommen, ist diese Reaktion durchaus sinnvoll, denn sie veranlasst uns, uns verstärkt um Kooperation und Normalisierung zu bemühen. Dauerhaft gestörte Beziehungen oder der vollständige Verlust tragender Bindungen können dagegen einen »Absturz« der Motivationssysteme zur Folge haben. Der Ausfall der beruhigenden Effekte auf die Emotionszentren kann sich in einer solchen Situation massiv bemerkbar machen. Über die Mandelkerne, die emotionalen Angstzentren des Gehirns, kann es dann zu einer Hochschaltung von Stressgenen und zur Ausschüttung von Alarmbotenstoffen in tiefer gelegenen Hirnarealen kommen.[56] Abgese-

---

[55] Oxytozin wirkt vor allem auf die Amygdala, die endogenen Opioide wirken vor allen auf das oberste Emotionszentrum ACC (Anteriorer Cingulärer Cortex).

[56] Bleibt bei schweren Krisen auf der Beziehungsebene die beruhigende Wirkung von Oxytozin auf die Mandelkerne (Amygdala) aus, schütten die Nervenzellen der Mandelkerne den erregenden Nervenbotenstoff (Neurotransmitter) Glutamat aus. Dieser aktiviert dann zwei in den tieferen Regionen des Gehirns gelegene Alarmzentren: Zum einen werden im Hypothalamus Stressgene angeschaltet (mit der Folge, dass es im Körper zu einer Erhöhung des Stresshormons Cortisol kommt). Zum anderen aktiviert das von den Mandelkernneuronen ausgeschüttete Glutamat Alarmzentren des Hirnstamms, wo es dann unter anderem zur Ausschüttung von Noradrenalin kommen kann. Noradrenalin setzt das gesamte

hen von der Möglichkeit massiver Aggressionsentwicklung, ziehen Beziehungskrisen oder Verluste in der Regel eine zweiphasige seelische Reaktion nach sich: Kurzfristig setzt meistens ein Gefühl von Schmerz und Erregung ein, das mit Angst, Panik, Trauer (oder Aggression) verbunden sein kann. Langfristig – das heißt, falls Beziehungsstörungen chronisch anhalten oder falls ein Verlust (noch) nicht verkraftet werden konnte – kann es zu verschiedenen Spielarten einer depressiven Störung kommen. Diese Reaktionsketten laufen unabhängig von unserer bewussten Kontrolle ab. Sie sind bereits bei Säuglingen zu beobachten.

Einbruch der Motivation beim Verlust geliebter Menschen

Die Folgen von Beziehungsstörungen oder Verlusten lassen sich nicht nur psychisch wahrnehmen, sondern auch neurobiologisch darstellen. Arif Najib von der Universität Tübingen und der bereits an früherer Stelle erwähnte Jeffrey Lorberbaum von der University of South Carolina untersuchten mittels funktioneller Kernspintomographie Personen, die von ihren Partnern verlassen worden waren. Als Folge hatte sich bei den Probanden eine schwere Trauerreaktion eingestellt. Die beiden Wissenschaftler analysierten Veränderungen der Hirnaktivität, die bei diesen Personen mit dem Gefühl des erlittenen Verlustes

---

»Panikorchester« des Körpers in Gang, einschließlich Herz, Kreislauf und Psyche.

verbunden waren. Es zeigte sich eine massive Minderaktivität im Bereich der zentralen Achse des Motivationssystems.[57] Schmerz als Reaktion auf Beziehungskrisen oder Verluste ist keine »Einbildung«.[58] Naomi Eisenberger konnte, ebenfalls mit funktioneller Kernspintomographie, nachweisen, dass Menschen, die in einer für sie unverständlichen Weise von anderen aus der Gemeinschaft ausgegrenzt und ausgeschlossen werden, nicht nur psychologisch, sondern auch neurobiologisch mit einer Mobilisierung des emotionalen Schmerzzentrums reagieren.[59] Das Gehirn scheint zwischen seelischem und körperlichem Schmerz nur unscharf zu trennen. Untersuchungen zufolge erleben Menschen, die sich allein gelassen fühlen, körperliche Schmerzen stärker als Personen, denen mitmenschliche Unterstützung zur Verfügung steht. Auch hier zeigt sich, wie sehr wir neurobiologisch auf Kooperation hin konstruiert sind.

---

[57] Die Aktivitätsabnahme betraf das ventrale Striatum, in dem sich der beschriebene Nucleus accumbens (das »Kopfstück« der Dopamin-Achse) befindet.

[58] Ich verwende an dieser Stelle bewusst dieses Wort, weil viele Menschen, leider auch viele Medizinerkollegen, seelisches Leiden und psychische oder psychosomatische Symptome, für die sich scheinbar »kein Befund« erheben lässt, in den Bereich der Einbildung verweisen. Diese Einschätzung ist nicht nur bar jeder ärztlichen Kompetenz, sondern auch sachlich falsch.

[59] Siehe dazu auch Geoff MacDonald und Mark Leary (2005) sowie Jaak Panksepp (2003, 2005).

Das Gedächtnis des Körpers: Langzeiteffekte von Einsamkeit

Frühe Erfahrungen von Einsamkeit oder Verlust können eine lebenslange Empfindlichkeit neurobiologischer Systeme zur Folge haben. Bekanntlich kann nicht jeder Verlust mit Trauer oder Schmerz, die »normale« Reaktionen darstellen, abgefangen werden. Mit heftigeren Reaktionen ist vor allem dann zu rechnen, wenn eine Person die Störung oder den Ausfall einer tragenden Verbindung als einen Absturz in völlige Hilflosigkeit erlebt. In solchen Situationen kommt es zu Angst, Panik und zu einer biologischen Stressreaktion. Belastungen im zwischenmenschlichen Kontakt haben neben einer Dämpfung der Motivationssysteme immer auch eine Aktivierung von Stressgenen zur Folge.[60] Manche Menschen können mit Verlusten besser umgehen als andere. Warum? Besonders Säuglinge und Kinder neigen in solchen Fällen zu Panik und biologischem Stress, da sie von sozialer Unterstützung weitaus abhängiger sind als Ältere. Aber auch manche Erwachsene reagieren außerordentlich stark, jedenfalls stärker, als andere Menschen dies in einer gleichartigen Situation tun würden. Wenn es nicht an der besonderen Schwere des Verlustereignisses liegt, kann dies dadurch bedingt sein, dass ein in frühen Jahren erlebter Mangel an Bindungen im späteren Leben der Betroffenen zu einem so genannten unsicheren Bindungsmuster geführt hat, was bedeutet, dass sich auf jedes befürchtete oder tatsächliche Problem in zwischenmenschlichen

[60] Siehe unter anderem Angelika Bierhaus et al. (2003).

Beziehungen eine ungewöhnlich heftige neurobiologische Angst- und Stressreaktion einstellt.

Der bereits an früherer Stelle erwähnte kanadische Hirnforscher Michael Meaney konnte zeigen, dass Neugeborene auf den Entzug von Zuwendung nicht nur akut mit der Cortison-Stressachse reagieren. Seine Untersuchungen belegen: *Frühe Erfahrungen von mangelnder Fürsorge hinterlassen eine Art biologischen Fingerabdruck, indem sie das Muster verändern, nach dem Gene in späterer Zeit auf Umweltreize reagieren.*[61] Diese Beobachtungen machen deutlich: Gene führen – anders, als dies weithin erzählt und geglaubt wird – kein autistisches Eigenleben, sondern kommunizieren mit der Außenwelt, auf deren Signale hin sie sich fortlaufend mit Veränderungen ihrer Aktivität einstellen. Besonders bedeutsam dabei ist, dass zu den Signalen, die an der Genregulation mitwirken, auch solche zählen, die sich aus Beziehungen mit anderen Menschen ergeben.[62]

Beziehungskrisen und Verluste beeinflussen also nicht nur die Motivations-, sondern auch die Stresssysteme des Körpers. *Kurzfristige* Aktivierungen der Stressantwort haben keine nachteiligen Folgen, im Gegenteil. Ohne

---

[61] Eine durch erhöhte Reaktionsbereitschaft der Stressgene gekennzeichnete biologische Konstellation findet sich bei Personen, die ein erhöhtes Risiko, an Depression zu erkranken, in sich tragen. Was durch frühe Erfahrung in der Säuglingszeit und Kindheit beeinflusst wird, ist nicht der »Text«, also die DNA-Sequenz der Gene. Diese ist unveränderlich. Frühe Erfahrungen können aber programmieren, wie stark ein Gen im späteren Leben in bestimmten Umweltsituationen abgelesen wird. Siehe dazu Thie-Yuang Zhang et al. (2004), Jonathan Seckl und Michael Meaney (2004) sowie Ian Weaver et al. (2004).

[62] Siehe Kapitel 5.

Herausforderungen hätten wir keine Möglichkeit, uns vor uns selbst und unseren Mitmenschen zu bewähren, deren Anerkennung zu erhalten und auf diesem Wege unseren Motivationssystemen ein lohnendes Ziel zu bieten. Auch durch zwischenmenschliche Konflikte ausgelöster Stress muss nicht zu Beeinträchtigungen führen, vorausgesetzt, der Konflikt wird angesprochen, offen ausgetragen und bereinigt. Eine *ständige* Hochschaltung der Stresssysteme ist dagegen aus neurobiologischer Sicht gefährlich. Eine solche Daueraktivierung kann durch anhaltende, den betroffenen Menschen überfordernde (Arbeits- oder andere) Belastungen hervorgerufen werden. Aber auch nicht lösbare Beziehungsschwierigkeiten können Dauerstress verursachen. Die erwähnten Untersuchungen Michael Meaneys zeigen: Personen, bei denen frühe Erfahrungen von fehlender Zuwendung und Bindung eine erhöhte Angst- und Stressbereitschaft erzeugt haben, geraten im Laufe ihres Lebens leichter in Überforderungsstress als andere. Dauerhaft erhöhte Konzentrationen der Stressbotenstoffe Glutamat und Cortison können Nervenzellen und ihre Netzwerke gefährden. Ein besonders eindrucksvoller Hinweis darauf, dass unser Gehirn auf gelingende Beziehungen und nicht auf Gewalt ausgerichtet ist, ergibt sich aus dem Nachweis einer markanten Schädigung wichtiger Nervenzellstrukturen als Folge einer durch andere Menschen erlittenen Traumatisierung.[63]

[63] Eine wichtige Studie dazu stammt von einer deutschen Gruppe, siehe Driessen et al. (2000). Weitere Arbeiten kommen aus der Gruppe um

Beziehungen als Gesundheitsschutz: Einsamkeit als Krankheitsfaktor

Intakte soziale Netzwerke schützen die Gesundheit und erhöhen die Lebenserwartung.[64] Ungewollte Einsamkeit hingegen macht krank. Verschiedene Studien zeigen, dass Einsamkeit nicht nur körperliche Erkrankungen begünstigt, sondern auch die Lebenserwartung verkürzt. Einsamkeit gehört zu den stärksten Einflussfaktoren, die im Alter den Blutdruck und das Herzattackenrisiko ansteigen lassen.[65] Die an der Universität von Chicago angesiedelte Arbeitsgruppe um John Cacioppo konnte zeigen, dass sich im Falle von Einsamkeit bereits bei jüngeren Menschen Veränderungen einstellen, die das Risiko für Blutdruckerkrankungen erhöhen.[66] Einsamkeit begünstigt einen erhöhten Spiegel der Stresshormone Adrenalin und Noradrenalin. Interessant ist, dass bereits eine unter Hypnose suggerierte Einsamkeit physiologische Effekte auszulösen vermag. Angesichts der Tatsache, dass kreislaufbedingte Erkrankungen zu den häufigsten Todesursachen gehören, ist ungewollte Einsamkeit ein ernst zu nehmender, die Lebenserwartung verkürzender Umstand. Wie die Psychosomatikerin Janine Kiecolt-Glaser bereits

---

Douglas Bremner: Vythilingam et al. (2002), Vermetten et al. (2006), Kitayama et al. (2006), Übersichtsarbeit bei Bremner (2005).

[64] Siehe hierzu die bereits oben erwähnten Studien von John Cacioppo, aber auch Arbeiten von Lynne Giles et al. (2005) und Mika Kivimäki et al. (2005).

[65] Hawkley et al. (2006), Nielsen et al. (2006).

[66] Diese Veränderungen bestehen in einer Erhöhung des peripheren Gefäßwiderstands, die der Entwicklung von Bluthochdruck vorausgeht. Siehe Cacioppo et al. (2002).

1984 nachweisen konnte, führt Einsamkeit zur Aktivierung eines Stresssystems, das auch bei Personen, die an Depression leiden, aktiviert ist. Entsprechend überrascht es nicht, dass sich als weitere Folge von chronischer Einsamkeit auch erhöhte Raten depressiver Erkrankungen zeigen.[67]

Die Motive des Beziehungswesens Mensch: Zuwendung und Kooperation

Die Argumente, die den Menschen aus biologischer Sicht als Beziehungswesen ausweisen, beziehen sich auf drei fundamentale biologische Kriterien: Zum einen sind die Motivationssysteme des Gehirns in entscheidender Weise auf Kooperation und Zuwendung ausgerichtet und stellen unter andauernder sozialer Isolation ihren Dienst ein. Zweitens führen schwere Störungen oder Verluste maßgeblicher zwischenmenschlicher Beziehungen zu einer Mobilmachung biologischer Stresssysteme. Aus beidem, sowohl aus der Deaktivierung der Motivations- als auch aus der Aktivierung der Stresssysteme, können sich gesundheitliche Störungen ergeben. Dies macht deutlich, dass Menschen nicht für eine Umwelt »gemacht« sind, die durch Isolation oder ständige Konflikte gekennzeichnet ist.[68] Ein drittes, bislang nicht erwähntes neurobiolo-

[67] Übersicht bei Ernst und Cacioppo (1999). Besonders fatal ist, dass im Falle einer einmal eingetretenen Depression die Einsamkeit durch die Erkrankung noch weiter verstärkt wird.

[68] An diese Stelle sei darauf hingewiesen, dass die – ethisch sehr fragwürdigen – Experimente Stanley Milgrams aus den sechziger Jahren dieser

gisches Kriterium, das den Menschen als Beziehungswesen kennzeichnet, ist das System der Spiegelnervenzellen[69]: Nicht nur der Mensch, auch eine Reihe von Tierarten besitzt mit diesen Zellen ein neurobiologisches System, das eine intuitive wechselseitige soziale Einstimmung ermöglicht. Das System dieser besonderen Zellen sorgt dafür, dass ein Individuum das, was es bei einem anderen Individuum der gleichen Art wahrnimmt, im eigenen Organismus – im Sinne einer stillen inneren Simulation – nacherlebt (dies ist der Grund, warum wir zum Beispiel Schmerz empfinden, wenn wir zusehen müssen, wie sich eine andere Person heftig verletzt, oder warum emotionale Stimmungen ansteckend sind). Dadurch

---

Aussage nicht widersprechen. Die Versuchspersonen in Milgrams Experimenten waren aufgefordert worden, im Nebenraum sitzende andere Versuchspersonen, die sie nicht sehen, wohl aber hören konnten, mit Elektroschocks ansteigender Stärke immer dann zu bestrafen, wenn sie bei einer Gedächtnisaufgabe (Erinnern von Wörtern) einen Fehler machten. Da alle Probanden zögerten, die Schocks auszulösen, wurden sie von weiß bekittelten Versuchsleitern, die direkt hinter ihnen standen, massiv bedrängt, die Schocks zu verabreichen (»Das Experiment erfordert es, dass Sie weitermachen! Sie haben jetzt keine andere Wahl!«). Milgram berichtet, dass diejenigen Probanden, die diesen Aufforderungen folgten (es waren 63 Prozent), fast alle selbst unter massiven Stress gerieten, einige dabei sogar einen Nervenzusammenbruch erlitten (siehe Milgram, 1963 und 1965). Das Erschreckende der Experimente Milgrams war, dass Menschen – wenn auch unter dem massiven Druck anderer – überhaupt bereit waren, sich an solchen Torturen zu beteiligen. Entgegen der landläufigen Meinung empfanden die Versuchspersonen – darauf wies Milgram in seinen Publikationen ausdrücklich hin – aber keinerlei Vergnügen. Wurde das Experiment so gestaltet, dass hinter dem Probanden *zwei* Versuchsleiter standen, wobei der eine zum Schock aufforderte, der andere aber widersprach, dann war keine (!) der Versuchspersonen bereit, einen Elektroschock auszulösen.

[69] Siehe Joachim Bauer: »Warum ich fühle, was du fühlst. Intuitive Kommunikation und das Geheimnis der Spiegelneurone« (2005).

ergeben sich weit reichende – bislang noch nicht in ganzer Breite erforschte – Möglichkeiten sozialer Resonanz. Im Falle des Menschen ermöglichen Spiegelnervenzellen eine besondere Form sozialer Verbundenheit: Mitgefühl, Empathie. Bei den Spiegelzellen verhält es sich wie bei den Motivationssystemen und den biologischen Stresssystemen: Sie funktionieren nur dann, wenn Menschen in der Prägungsphase ihres Lebens hinreichend gute Beziehungserfahrungen machen konnten und wenn spätere Traumatisierungen nicht zu einer psychischen und neurobiologischen Beschädigung dieser Systeme geführt haben. Damit lautet das Fazit dieses Kapitels: *Falls sich zu der genetischen Ausstattung eines Menschen die notwendigen Umweltbedingungen hinzugesellen, ist er ein aufgrund mehrerer körpereigener Systeme in Richtung Kooperation und »Menschlichkeit« ausgerichtetes Wesen.*

3.
Die Bedeutung der Aggression

Wenn Menschen auf Zuwendung und tragende Beziehungen ausgerichtete Wesen sind, welche Rolle spielt dann die Aggression? Sollte sie unter allen Umständen bekämpft oder gesundgebetet werden? Keineswegs. *Aggression steht im Dienste sozialer Beziehungen, sie dient deren Verteidigung. Sie kommt immer dann ins Spiel, wenn Bindungen bedroht sind, wenn sie nicht gelingen oder fehlen.* Menschen, die eine für sie wichtige Beziehung gefährdet sehen, denen Vertrauen entzogen wird oder die aus einer Gemeinschaft ausgeschlossen werden, reagieren mit Aggression. Einschätzungen von dieser Tragweite sollten nicht auf Intuition, sondern auf wissenschaftlichen Beobachtungen basieren. Eine der neueren Studien zu dieser Frage stammt von Ragnar Beer vom Institut für Psychologie in Göttingen. Er konnte in einer groß angelegten Untersuchung zeigen, dass Personen, die mit einer schweren Bedrohung ihrer Partnerschaft konfrontiert waren, zu einem hohen Prozentsatz mit Aggressivität reagieren.[1]

---

[1] Von Wut berichteten 72 Prozent der betroffenen Frauen und 49 Prozent der Männer, von erhöhter Reizbarkeit 67 Prozent der Frauen und 56 Prozent der Männer, von Hass 22 Prozent der Frauen und 13 Prozent der Männer (siehe Beer, 2006).

Der Zusammenhang zwischen Beziehungsgeschehen und Aggression ist aber auch neurobiologisch nachweisbar. Ein Beispiel hierfür ist die Beobachtung des US-Forschers Paul Zak, der zeigen konnte, dass das Misstrauen, das einer Person entgegengebracht wird, den Blutspiegel eines wichtigen Aggressionshormons[2] ansteigen lässt. Zak führte ein Experiment durch, bei dem sich zwei Testpersonen auf eine geschäftliche Vereinbarung einlassen konnten: Person A bekommt vom Leiter des Experiments einen Geldbetrag. Sie kann einen beliebigen Teil davon investieren, indem sie ihn an Person B abgibt, bei der sich das investierte Vermögen vermehrt. Denn der an Person B abgegebene Betrag wird vom Leiter des Experiments verdreifacht. Wie im richtigen Leben, so ist die Investition von Person A (das heißt die Abgabe eines Teils ihres Betrags an Person B) auch hier Vertrauenssache. Denn Person B, die nun im Besitz der verdreifachten Summe ist, darf frei entscheiden, welchen Teil des vermehrten Vermögens sie an Person A zurückgibt. Da der Ablauf des Experiments beiden Teilnehmern zu Beginn mitgeteilt wurde, war es eine reine Frage des Vertrauens, wie viel Geld Person A zu Beginn des Experiments Person B übergeben würde. Die Forschergruppe um Paul Zak interessierte es nun, wie Partner B auf das ihm entgegengebrachte – oder nicht entgegengebrachte – Vertrauen von Person A reagiert. Das Ergebnis war: Eine hohe Investition von A ließ bei B das Vertrauenshormon Oxytozin ansteigen. Geringes Vertrauen oder Misstrauen führte bei

---

[2] Es handelte sich um das Hormon DHT (Dihydrotestosteron).

Person B dagegen zu einem Anstieg des Aggressionshormons DHT.[3] Experimente wie diese zeigen: *Vertrauen schafft Vertrauen. Misstrauen und Ablehnung begünstigen Aggression.*

Das notwendige Umdenken hinsichtlich der biologischen Bedeutung von Kooperation und Aggression steht derzeit noch am Anfang. Über viele Jahrzehnte hinweg waren Kampf und Aggression ein in westlichen Ländern idealisiertes, zeitweise geradezu religiös verehrtes Prinzip. »Leben heißt Kämpfen«, dieses Motto wurde nicht nur in den Jahren des Naziregimes, sondern schon in den Jahrzehnten davor – aber auch danach wieder – hochgehalten[4], und es kommt auch neuerdings wieder in Mode.[5] Seinen Ausgangspunkt in der Neuzeit nahm dieses Denken bei Charles Darwin. Er betrachtete Aggression als ein Grundgesetz der Natur. Der von Lebewesen gegeneinander geführte Überlebenskampf war für ihn das alles andere dominierende biologische Prinzip.[6] Darwins Denken wurde – mit beachtlichem Erfolg – durch die Soziobiologie in unsere Zeit hinein weitergetragen.[7] Der Stellenwert der Aggression muss jedoch neu bestimmt werden. Dass nicht Kampf und Aggression, sondern Kooperation und *ihr dienende* Aggression die optimale Lebensstrategie

---

[3] Der Anstieg war bei männlichen Testpersonen deutlich stärker als bei Frauen. Siehe Zak (2005 a/b/c).

[4] Siehe Kapitel 4 und 5. Siehe dazu auch die autobiographische Perspektive eines kürzlich erschienenen, lesenswerten Buches von Ute Scheub (2006).

[5] Siehe zum Beispiel David Buss (2005).

[6] Siehe Kapitel 4.

[7] Siehe Kapitel 5.

darstellen, zeigen nicht nur neurobiologische und psychologische Studien, sondern auch neuere Beobachtungen aus der modernen, unter anderem auf der Spieltheorie fußenden Kooperationsforschung.[8]

Aggression durch Zurückweisung: »If you can't join them, beat them«

Die Idealisierung des Kampfes und die Überzeugung, Erfolg setze *vor allem anderen* Aggression voraus, hat sich bis heute hartnäckig gehalten. »If you can't beat them, join them«: (Nur) wenn du die anderen nicht schlagen kannst, gehe ein Bündnis mit ihnen ein. Dieses Sprichwort, dessen angloamerikanischer Ursprung kein Zufall ist, spiegelt das bereits erwähnte, über hundertjährige Missverständnis über den Stellenwert der Aggression wider. Demnach sollte man sich nur dann, wenn aggressive Strategien nicht zum Ziel führen, sozusagen als zweitbeste Wahl oder im Sinne einer Notlösung eben die anderen zu Bündnispartnern machen. Neuere psychologische und neurobiologische Forschungsergebnisse legen es nahe, das Sprichwort vom Kopf auf die Füße zu stellen: »If you can't join them, beat them«. Diese Neuformulierung stammt von der kalifornischen Aggressionsforscherin Jean Twelge: Nur wem es nicht gelingt, von anderen akzeptiert zu werden, Anschluss an eine Gemeinschaft zu finden, oder wer vom Verlust von tragenden Beziehungen

[8] Siehe Kapitel 6, dort finden sich auch Ausführungen zur Spieltheorie und zum neuen Forschungszweig der so genannten Neuroökonomie.

bedroht ist, wird dazu übergehen, mit Aggression und Kampf zu antworten (falls sich die Reaktion nicht in Trauer oder Depression erschöpft). Studien zeigen[9], dass Gewalthandlungen – sowohl bei Kindern und Jugendlichen als auch bei Erwachsenen – vor allem dann eintreten, wenn Personen bedeutsame Bindungen abhanden zu kommen drohen oder wenn eine Gemeinschaft sie nicht aufnehmen will oder ausstößt.

Aggressionsursache Schmerz

Warum reagiert der Mensch auf gefährdete Beziehungen ausgerechnet mit Aggression? Für die Annahme, dass die Ursprünge der Aggression im Überlebenskampf gegen andere begründet sind, gibt es keine wissenschaftlichen Beweise. Vielmehr besteht die ursprüngliche Funktion der Aggression – dafür liegen wissenschaftlich gesicherte Daten vor – in der Bewahrung der Unversehrtheit des eigenen Organismus und in der Abwehr von Schmerz.[10]

---

[9] Siehe dazu Arbeiten von John Archer und Sarah Coyne (2005), Mark Leary (2001, 2003) und Jean Twelge (2001, 2002, 2003). Buchpublikationen siehe Donald Dutton (2002) und Anita Vangelisti (2004).

[10] Zur Bewahrung der Unversehrtheit des eigenen Organismus gehört die Sicherung einer ausreichenden Nahrungsaufnahme. Daher kann auch die Verknappung von Nahrungsreserven zu Aggression führen; dies ist jedoch – wie zahlreiche Beispiele zeigen – keine zwingende Konsequenz. Bekanntlich kann sich Aggression auch aus der Tatsache entwickeln, dass sich biologische Systeme von anderen ernähren und dies teilweise den Kampf voraussetzt. Was den Fortbestand von Arten betrifft, wird dabei jedoch kein »Kampf ums Überleben« ausgetragen (siehe dazu auch Guthrie, 2006). Vielmehr bilden Räuber und Beute sowohl im Pflanzen- als auch im Tierreich kooperative Systeme, da sie in einem biologischen Gleichgewicht ste-

Schmerz ist ein Zeichen, ein Signal, das dem eigenen Organismus eine ihm nicht zuträgliche Situation meldet, damit Handlungen bzw. Verhaltensänderungen veranlasst werden, die eine Verbesserung der Situation des Organismus zum Ziel haben – und damit zugleich auch eine Löschung des Schmerzsignals. Falls sich dem Organismus keine eindeutigen Lösungen zur Abwehr von Schmerz anbieten (wie etwa das Zurückziehen eines Körperteils von einem zu heißen Gegenstand), kommt es zu Aggression. Schmerz als Hauptursache für Aggression gegenüber anderen ist eine sowohl bei Tieren als auch beim Menschen wissenschaftlich belegte Tatsache.[11] Dies gilt auch dann, wenn der Schmerz gar nicht durch diejenigen verursacht wurde, gegen die sich die Aggression richtet. Dass Schmerzen Aggression hervorrufen, ist intuitiv nachvollziehbar. Warum aber rufen auch bedrohte oder verloren gegangene Bindungen Aggression hervor?

Neurobiologische Untersuchungen haben im Hinblick auf den Zusammenhang zwischen sozialer Zurückweisung und Aggression eine interessante Antwort zutage gefördert: Sozial »konstruierte« Lebewesen wie der Mensch reagieren auf den Ausschluss aus der Gemeinschaft nahezu identisch wie auf *körperlichen* Schmerz. *Das Gehirn macht zwischen »social pain« (sozialem*

---

hen. Die Dezimierung der Beute hemmt die Fortpflanzung der Räuber, worauf sich die Beute wieder erholt.

[11] Dies wiesen erstmals in den dreißiger Jahren John Dollard und Neal Miller, die Begründer der »Frustrations-Aggressions-Hypothese«, nach (siehe Dollard et al., 1939). Siehe dazu auch die Arbeiten der australischen Forscher Geoff MacDonald und Mark Leary sowie des amerikanischen Biologen Leonard Berkowitz von der University of Michigan.

Schmerz) und »physical pain« (körperlichem Schmerz) kaum einen Unterschied.[12] Soziale Isolation wird vom Körper also nicht nur psychisch, sondern auch neurobiologisch als Schmerz erlebt und mit einer messbaren biologischen Stressreaktion beantwortet. Wie schon erwähnt, konnte eine Arbeitsgruppe um Naomi Eisenberger mittels funktioneller Kernspintomographie nachweisen, dass soziale Isolation wichtige Teile der neurobiologischen Schmerzzentren des Gehirns aktiviert. Laura Stroud und andere fanden heraus, dass soziale Zurückweisung nicht nur die Emotionszentren des Gehirns alarmiert, sondern auch einen Anstieg des Blutdrucks und des Stresshormons Cortisol zur Folge hat. Zum Funktionszusammenhang zwischen (verloren gegangener) Bindung und Aggression passen Befunde aus Experimenten mit Tieren, bei denen man auf gentechnischem Wege den für soziale Bindungen wichtigen Botenstoff Oxytozin ausschaltete. Sie zeigten ein markant aggressives Verhalten.[13] Der Organismus sozial ausgerichteter Lebewesen betrachtet also keineswegs nur ausreichende Nahrung und die Abwesenheit von körperlichem Schmerz als unabdingbare Voraussetzung seiner biologischen Unversehrtheit. Bindung und soziale Akzeptanz sind – aus *biologischer* Perspektive! – ebenso unverzichtbar. Dies erklärt, weshalb Beschädigungen von Beziehungen, falls dem betrof-

---

[12] Siehe unter anderem Arbeiten des amerikanischen Hirnforschers und Psychiaters Jaak Panksepp (2003, 2005).

[13] Siehe dazu Arbeiten von A. K. Ragnauth (2005) und Yuki Takayanagi (2005). Die Aggressivität von Tieren ohne das Bindungshormon Oxytozin geht so weit, dass Mütter teilweise ihre Kinder töten.

fenen Individuum keine anderen Reaktionsweisen zur Verfügung stehen, ebenso mit Aggression beantwortet werden wie Nahrungsmangel oder körperlicher Schmerz.

»Geborene Verbrecher«? Die Bedeutung von Lebenserfahrungen für die Entwicklung von Aggression

Hypothesen, denen zufolge die Bereitschaft zu Gewalttätigkeit angeboren und Kriminalität sozusagen durch die Gene determiniert sei, sind seit einiger Zeit wieder verstärkt in Mode, nachdem sie bereits vor dem Zweiten Weltkrieg jahrzehntelang Hochkonjunktur hatten.[14] Renommierte Institute widmen der Suche nach Cesare Lombrosos »geborenem Verbrecher« heute wieder große Summen von Forschungsgeldern und untersuchen dabei unter anderem Familien, die über drei Generationen hinweg rechtskräftig verurteilte Verbrecher hervorgebracht haben. In der Annahme, kriminelles Verhalten habe mit nicht steuerbarer Triebhaftigkeit zu tun, konzentrieren sich diese Wissenschaftler auf Gene, die in den Stoffwechsel von Botenstoffen involviert sind, die auch bei den Motivationssystemen eine Rolle spielen. Dies betrifft insbesondere den Stoffwechsel der Antriebsdroge Dopamin. Die Tatsache, dass sich bei einem Gen, das für den Abbau von Dopamin verantwortlich ist[15], genetische Varianten

[14] Siehe Kapitel 4.

[15] Dieses Gen produziert ein Enzym namens Monoaminooxidase, in der biochemischen Nomenklatur abgekürzt MAO.

fanden, die mit einem geringfügig verzögerten Abbau von Dopamin einhergehen, wurde mit dem Risiko erhöhter Triebhaftigkeit und – entsprechend dieser Logik – mit krimineller Gefährdung in Verbindung gebracht. Befunde dieser Art können allenfalls sehr allgemeine Eigenschaften des Temperaments eines Menschen betreffen, im Falle eines verminderten Abbaus von Dopamin etwa eine verstärkte generelle Motivationsbereitschaft. Dies würde sich dann aber auf die Motivation zu künstlerisch-kreativen oder wissenschaftlichen Leistungen ebenso auswirken wie auf die Motivation zu kriminellen Handlungen. Selbst wenn es genetische Determinanten für kriminelles Verhalten gäbe (was nicht der Fall ist), stellte sich die Frage, welche Konsequenzen man eigentlich aus den zutage geförderten Befunden ziehen sollte.

Den Weg aus der einst von Cesare Lombroso eingeschlagenen Sackgasse weisen Arbeiten wie jene, die Dario Maestripieri von der Universität Chicago kürzlich im Wissenschaftsjournal »PNAS« publizierte.[16] Seine Untersuchungen konnten den entscheidenden Einfluss selbst erlebter Gewalt auf die Entwicklung eigenen aggressiven Verhaltens nachweisen. *Gewaltbereitschaft entsteht vor allem dadurch, dass Individuen selbst Gewalt erlebt haben.* Maestripieri beschäftigte sich in einem Primatenzentrum mit Affenmüttern. Die meisten Affenmütter zeigen gegenüber ihrem Nachwuchs – über mehrere Schwangerschaften hinweg – ein durchgehend behütendes, fürsorgliches Verhalten. Einige hingegen behandeln ihre Jungen von der Geburt an grob, willkürlich und gewalttätig, wo-

[16] Dario Maestripieri (2005).

bei auch dieses Muster über mehrere Schwangerschaften hinweg bestehen bleibt. Maestripieri bildete nun zwei Gruppen von schwangeren Müttern, wobei er der einen Hälfte der fürsorglichen Mütter nach der Geburt die leiblichen Kinder beließ, während er der anderen Hälfte der (fürsorglichen) Mütter unmittelbar nach der Geburt die leiblichen Kinder wegnahm und ihnen stattdessen – gleichsam zur Adoption – Säuglinge gab, welche die gewalttätigen Mütter geboren hatten. Umgekehrt durfte in der Gruppe der gewalttätigen Mütter nur die Hälfte ihre leiblichen Kinder behalten, während die andere Hälfte unmittelbar nach der Geburt Säuglinge der fürsorglichen Mütter zugeteilt bekamen. Nach dem Ende ihrer Kindheit wurden die jungen Affen von den Müttern getrennt und unter gemeinsamen äußeren Bedingungen gehalten. Als sie die Geschlechtsreife erreicht hatten, ließ Maestripieri die weiblichen Nachwuchstiere dieser Generation schwanger werden und beobachtete, wie diese nun ihrerseits mit ihren Säuglingen umgingen. Das Ergebnis: *Alle* Muttertiere, die ihre Säuglingszeit bei *fürsorglichen* Müttern verbracht hatten, behandelten ihren eigenen Nachwuchs ihrerseits fürsorglich. Dieses Verhalten der Muttertiere war also von ihrer eigenen leiblichen Herkunft unabhängig, das heißt, nicht davon beeinflusst, ob sie die Gene von fürsorglichen oder gewalttätigen Müttern hatten. Bei jenen Muttertieren aber, die ihrerseits bei *gewalttätigen* Müttern aufgewachsen waren, zeigte sich in der Mehrheit der Fälle[17] gewalttätiges Verhalten gegenüber dem eigenen Nachwuchs, und zwar auch dann, wenn die

---

[17] Bei etwa 50 bis 60 Prozent.

Muttertiere leibliche Kinder von friedlichen Müttern gewesen waren und demnach deren Gene trugen. Wenn es um Verhalten geht, haben biographische Erfahrungen – vor allem solche in der Lernphase des Lebens – offensichtlich eine stärkere Wirkung als die genetische Abstammung. Eine ganze Serie von jüngeren Studien, unter anderem von einer Arbeitsgruppe des amerikanischen Verhaltensforschers Craig Anderson, zeigt, dass dort, wo Aggressivität im Sinne eines durchgehenden Verhaltensmusters auftritt, neben selbst erlittenen Gewalterfahrungen insbesondere auch Lernprozesse – und hier neuerdings auch der Konsum von Gewaltvideos und so genannten Killerspielen – eine entscheidende Rolle spielen.[18]

Entstehung von Aggression: Fünf Varianten

Aggression ist kein Selbstzweck. Abgesehen von den Fällen, in denen Gewalt als krankhaftes, meist durch extrem negative Erfahrungen erzeugtes Verhaltensmuster auftritt, steht Aggression immer im Dienste des Strebens nach Anerkennung, Beziehung, Kooperation und sozialer Zugehörigkeit.[19] Von anderen akzeptiert zu sein stellt, wie ausführlich erörtert, nicht nur ein psychisches, sondern ein *biologisches* Grundbedürfnis dar. *Wo Aggression*

---

[18] Siehe Craig Anderson (2004), außerdem Bartholow et al. (2005).

[19] Eine Auseinandersetzung mit Aggression und Gewalt, wie sie sich zwischen Staaten und politischen Systemen entwickelt, würde den Rahmen sprengen und bleibt hier außerhalb der Betrachtung. Im Prinzip gelten die genannten Abläufe aber auch hier.

stattfindet, geht es – direkt oder indirekt – immer um das Bemühen um gelingende Beziehung, um die Verteidigung einer Beziehung oder um eine Reaktion auf ihr Scheitern.

Dieser Zusammenhang zeigt sich in fünf unterschiedlichen Varianten, von denen die erste Aggression betrifft, die im Dienste der Verteidigung bestehender Beziehungen steht.[20] Beziehungen, die von den Beteiligten nicht nach außen verteidigt werden, haben eine schlechte Prognose. In der zweiten Variante geht es um Aggression, deren Motive im Kampf um Liebe oder Anerkennung liegen, zum Beispiel unter Geschwistern (um die Liebe der Eltern) oder unter Kollegen und Kolleginnen (zum Beispiel um die Anerkennung von Vorgesetzten). Gemeinschaften, welche die Ressourcen Liebe und Anerkennung zu knapp halten, vergeuden einen großen Teil ihrer Energie durch Konflikte dieser Art. Die dritte Variante ist die Aggression innerhalb von Beziehungen. Beziehungen haben die Tendenz, sich im Verlauf der Zeit zu verändern. Unter dem äußeren Anschein einer fortbestehenden Partnerschaft können sich Dysbalancen mit einer ungleichen Verteilung von Vorteilen und Nachteilen entwickeln, welche die Bindung zum Gefängnis machen und damit gefährden. Solche Dysbalancen können nicht nur in Zweierbeziehungen, sondern in jeder Art von sozialer

[20] Untersuchungen von Kyle Lann Gobrogge und Kollegen konnten kürzlich nachweisen, dass die bei Präriewühlmäusen *nach* Eingehen einer dauerhaften Paarbindung auftretende Aggression gegen Außenstehende (nicht nur gegen andere Männchen, sondern auch gegen fremde Weibchen!) begleitet ist von einer Aktivierung von Genen im Kernstück der Motivationsachse (in der VTA-Region).

Gemeinschaft entstehen. Aggression kann hier ein wichtiges Signal sein, um für eine Korrektur zu sorgen mit dem Ziel, die Identität der einzelnen Person gegenüber anderen zu wahren und dadurch Beziehung zu sichern.[21]

Ein besonders interessanter Zusammenhang zwischen Bindung und Aggression zeigt sich in einer vierten Variante. Bei ihr geht es um Aggression, die gemeinschaftlich ausgeübt wird und deren – meist unbewusster – Zweck darin besteht, *Gemeinschaft durch gemeinsamen Kampf* herzustellen. Diese Spielart betrifft nicht nur Gewalt, wie sie von Jugendbanden ausgeübt wird, sondern auch Kampf- oder Kriegskameradschaften. Die von vielen Soldaten zeitlebens wiedergegebenen, erlittenes Leid und eigene Traumatisierungen verklärenden Erinnerungen sind Ausdruck eines gerade unter Todesgefahr machmal fast ekstatischen Gemeinschaftserlebens.[22] Auf den nicht leicht zu erkennenden Zusammenhang zwischen Kampf und Gemeinschaftserleben weist auch das Ergebnis einer jüngeren Studie eines US-Psychiaters hin, der einige Jahre

---

[21] Der Heidelberger Psychosomatiker und Psychoanalytiker Manfred Cierpka sieht die Möglichkeit, dass Aggression innerhalb einer bestehenden Beziehung auch die Funktion haben könnte, die Güte der jeweiligen Beziehung zu »testen« (persönliche Mitteilung).

[22] Ein Beispiel für die Verherrlichung des mit dem Krieg verbundenen, geradezu erotischen Erlebens von Kameradschaft liefert ein Buch des amerikanischen, aus der Schule C. G. Jungs stammenden Psychologen James Hillman: »Die erschreckende Liebe zum Krieg« (2005). Anders, als der Titel vermuten lässt, stimmt der Autor darin einen Lobgesang auf den Krieg an: »Eine nie gekannte Liebe öffnet sich im Herzen von Krieg ... Liebe zum Krieg und Liebe zu den Kameraden, beides fällt zusammen.« Tilman Moser nannte dieses Werk in seiner im August 2005 in »Psychologie Heute« erschienenen Besprechung wegen seiner begeistert-unreflektierten Anbetung des Krieges »ein durch und durch ärgerliches Buch«.

für einen amerikanischen Geheimdienst gearbeitet und die Lebensläufe der vierhundert islamistischen Topterroristen analysiert hat.[23] Bevor sich die Betroffenen einer Terrorgruppe angeschlossen hatten, so seine Analyse, handelte es sich durchweg um fern von ihrer Heimat unter sozialer Isolation lebende und dringend nach Gemeinschaft suchende junge Leute arabischer oder fernöstlicher Herkunft. Da ihnen aber diese Gemeinschaft in den westlichen Ländern, in denen sie lebten, offenbar versagt blieb, hatten sie der Studie zufolge den Anschluss dann im Umfeld radikalisierter religiöser Gruppierungen gefunden, aus denen sie sich nicht mehr lösen konnten oder wollten, nachdem sie erkannt hatten, wohin die Reise in diesen Gruppen für sie gehen sollte.[24]

Die fünfte Variante der Aggression geht von Menschen aus, die entweder aufgrund schwerer Verwahrlosung keinerlei gute Beziehungserfahrungen machen konnten, durch selbst erlittene massive Gewalt traumatisiert wurden oder eine intensive »Lerngeschichte« in Sachen Gewaltausübung hinter sich haben.[25] Meistens liegt, wie bei

---

[23] Siehe Marc Sageman (2004).

[24] Fast alle kamen aus gut situierten Familien, standen dem Terror zunächst ablehnend gegenüber und waren von ihren Familien zur Ausbildung ins Ausland geschickt worden. Über 70 Prozent der jungen Männer hatten sich Terrorgruppen angeschlossen, während sie in einem Land wohnten, das nicht ihre Heimat war. Über 80 Prozent fühlten sich von der Gesellschaft, in der sie lebten, ausgeschlossen. 86 Prozent wurden in dieser Situation über eine persönliche Freundschaft in die jeweiligen Terrorgruppen gelotst.

[25] Der in Freiburg i. Br. arbeitende israelisch-arabische Psychoanalytiker Gehad Mazarweh, einer der führendn Traumatherapeuten Deutschlands, sieht durch junge Araber ausgeübten Terror vor allem vor dem Hintergrund, dass sie selbst in ihren Herkunftsfamilien Gewalt erlitten haben,

vielen Gewalttätern oder bei den Kindersoldaten in verschiedenen Regionen der Dritten Welt, eine Kombination der genannten Umstände vor. Früh im Leben erlebter Mangel an Zuwendung hat – neben anderen Störungen im sozialen Verhalten – vermehrte Aggressivität zur Folge.[26] Wo und wann immer Aggression zu beobachten ist, lässt sie sich mindestens einer der genannten fünf Varianten zuordnen. *Aggression steht – ob direkt oder indirekt – immer in funktionalem Zusammenhang mit dem Grundbedürfnis des Menschen nach Beziehung und ist diesem Bedürfnis unter- oder nachgeordnet.*[27]

Männliche und weibliche Aggression

Aggression kennt – unabhängig vom funktionalen Zusammenhang, in dem sie jeweils auftritt – unterschiedliche Ausdrucksformen. In ihrer zivilen, sozial verträglichen Form wird sie sich in der Regel im Rahmen eines – bei Menschen in der Regel sprachlichen – kommunikativen

---

wobei diese Familien ihrerseits von politischer Unterdrückung und Entwürdigung betroffen sind. Siehe Mazarweh (2006).

[26] Siehe D. Kerr et al. (2005).

[27] Wie bereits in Kapitel 2 ausgeführt, ist das Verhalten der Versuchspersonen in den umstrittenen Experimenten von Stanley Milgram aus den sechziger Jahren kein Gegenargument. Die Versuchspersonen in Milgrams Experimenten waren von den Versuchsleitern massiv bedrängt worden, anderen Versuchspersonen Elektroschocks zu verabreichen. Die meisten Versuchspersonen, die dieser Aufforderung – widerstrebend! – nachgekommen waren, gerieten unter massiven Stress, einige erlitten psychische Zusammenbrüche. Entgegen dem, was in Partygesprächen über diese Experimente immer wieder zu hören ist, empfand keine der Versuchspersonen bei diesem Experiment Vergnügen (siehe Milgram 1963, 1965).

Prozesses abspielen. Der Vorteil der sprachlichen Auseinandersetzung liegt darin, dass sie zugleich auch der beste Weg ist, eine Streitschlichtung herbeizuführen.[28] In vielen Fällen geht sie allerdings darüber hinaus und impliziert Gewalt, wobei diese Form der Aggression in der Regel keine dauerhafte Lösung von Beziehungsproblemen oder sozialen Konflikten ermöglicht, sondern selbst zum Ausgangspunkt von Störungen und weiterer Aggression wird.

Aus neueren Studien geht hervor, dass sich aggressives Verhalten bei Männern und Frauen unterschiedlich äußert. Auch wenn Untersuchungen, unter anderem die einer britischen Arbeitsgruppe um John Archer, behaupten, dass nicht nur Männer, sondern auch Frauen in erheblichem Umfang körperliche Gewalt anwenden, dürften Männer in dieser Hinsicht doch einen bedauerlichen ersten Platz innehaben. Frauen bedienen sich, wie entsprechende Studien zeigen, im Vergleich zu Männern in höherem Maße der so genannten relationalen Gewalt, das heißt, sie scheinen im Falle von aggressivem Verhalten kommunikative Methoden vorzuziehen, zum Beispiel indem sie Missverständnisse erzeugen und dem Ansehen oder der Beliebtheit anderer Menschen Schaden zufügen.[29]

---

[28] Bei zahlreichen Tierarten finden sich nichtsprachliche Wege der Streitschlichtung (Lee Dugatin, 2005).

[29] »Bösartige Gerüchte zu verbreiten oder jemanden bewusst auszuschließen, sind Beispiele für relationale Aggression«, so Angela Ittel, Entwicklungspsychologin an der Freien Universität Berlin (»Die Welt« vom 20. Januar 2006).

Die zentrale Bedeutung des Bindungsbedürfnisses erklärt, warum Gewalt als Folge aktivierter Aggression überall dort eine besondere Rolle spielt, wo bestehende Beziehungen gefährdet sind. Selbstverständlich kann dies Gewalt nicht im Geringsten rechtfertigen. Die Beendigung oder der Verlust von Bindungen gehört zu den unvermeidlichen Tatsachen des Lebens.[30] Im Gegensatz dazu sind Zuwendungsdefizite, Beziehungsmangel, soziale Verwahrlosung und Gewalterfahrungen, wie sie immer mehr Kinder und Jugendliche erleben, keine unvermeidlichen Tatsachen des Lebens.[31] Rolf Loeber von der Psychiatrischen Abteilung der University of Pittsburgh hat zusammen mit neun Kollegen aus sechs verschiedenen Forschungszentren in einer groß angelegten Studie analysiert, welche Umstände einen statistischen Vorhersagewert dafür haben, ob Jugendliche Gewalthandlungen begehen (insgesamt wurden 1500 Jugendliche untersucht; 33 von ihnen hatten Morde begangen, 193 waren

---

[30] Beim Vollzug einer Trennung handelt es sich immer um ein einschneidendes psychisches und biologisches Ereignis. Daher sollten Trennungen immer unter größtmöglicher Rücksicht auf die schwierige Situation für die Betroffenen erfolgen, um die Gefahr von Gewalt gering zu halten. Ein besonderes Risiko beinhalten Trennungen, die mit schweren Kränkungen, Ansehensverlusten oder dem Verlust weiterer Beziehungen verbunden sind (zum Beispiel dem Verlust des Kontaktes zu eigenen Kindern).

[31] Neueren Untersuchungen zufolge erleben *innerhalb eines Jahres (!)* im Umfeld einer überwiegend weißen Durchschnittsbevölkerung über 13 Prozent der Kinder und Jugendlichen zwischen zwei und 17 Jahren schwere körperliche Misshandlungen und über 8 Prozent sexuellen Missbrauch (David Finkelhor et al., 2005).

wegen schwerer Gewalttaten verurteilt worden, 498 weitere hatten schwere Gewalt ausgeübt, ohne dafür belangt worden zu sein). Als die beiden stärksten Aggression und Gewalt begünstigenden Einflussfaktoren erwiesen sich selbst erlittene Gewalt und fehlende menschliche Beziehungen in der Herkunftsfamilie. Außerdem spielte die Tatsache eine Rolle, dass Jugendliche in kriminellen Gruppen neue Bindungen gefunden hatten, so dass Gewalt für die Täter gleichsam zum »verbindenden Element« wurde (siehe Seite 84, »Variante 4«). Gesellschaften, die es zunehmend für verzichtbar halten, dass Kinder und Jugendliche verlässliche Bezugspersonen haben, die ihnen Zeit und Zuwendung schenken, und die keinen Anstoß daran nehmen, dass junge Leute privat und beruflich zunehmend entwurzelt leben, werden dafür einen hohen Preis bezahlen.[32] Gerade der Zeit um die Pubertät kommt aus neurobiologischer Sicht besondere Bedeutung zu, da in dieser Altersstufe der biologische »Fingerabdruck«, den Erfahrungen der frühen Kindheit im Gehirn hinterlassen haben, nochmals revidiert und neu geschrieben werden kann[33], allerdings nur dann, wenn Jugendliche in einer Umwelt leben, die sie fordert und fördert. Wenn ein immer größerer Teil der Kinder keine verlässlichen Bezie-

---

[32] Nach Angaben von Franz Josef Freisleder, Ärztlicher Direktor der Heckscher-Klinik, einer der größten deutschen Fachkliniken für Kinder- und Jugendpsychiatrie in München, leiden in Deutschland 2,5 Prozent der Kinder und 8 Prozent der Jugendlichen an einer Depression. Maßgebliche Ursache ist für ihn, dass Kinder in ihrer Umgebung »nicht willkommen« sind und »nicht die emotionale Resonanz bekommen, nach der sich jedes Kind sehnt« (»Süddeutsche Zeitung«, 25. Februar 2006).

[33] Siehe unter anderem Timothy Bredy et al. (2004).

hungserfahrungen machen kann, nur auf Desinteresse stößt und sich als überflüssig erlebt, ist das, was an Jugendgewalt derzeit in allen westlichen Ländern zu beobachten ist, möglicherweise nur ein Vorgeschmack.[34]

Aggression: Weder Bestimmung des Menschen noch sein Schicksal

Aggression ist ein zentraler Bestandteil des Lebens, und sie wird es bleiben. Ihr neurobiologischer Zweck liegt darin, Schmerz abzuwenden. Studien zeigen, dass das menschliche Gehirn soziale Isolation und den Verlust von Beziehungen ebenso als Schmerz bewertet wie physischen Schmerz. Dies hat eine erweiterte Funktion der Aggression zur Folge: Sie hat – neben der Abwehr von physischem Schmerz – nun auch die Aufgabe, Beziehungen zu schützen, den Verlust von Bindungen zu vermeiden und Störungen in Beziehungen zu regulieren. Dort, wo die Gestaltung von Beziehungen für Menschen – aus welchen Gründen auch immer – gänzlich unmöglich ist, kommt es zu einem massiven Anstieg der Gefahr aggressiver Verhaltensweisen. Die Gründe, die dazu führen, dass Menschen keine Beziehungen eingehen können oder dass ihnen diese vorenthalten bleiben, sind unterschiedlicher Natur. Soweit einzelne Personen betroffen sind, liegen sie entweder in fehlenden oder problematischen Bindungserfahrungen in der Prägungsphase des Lebens oder in Traumatisierungen. Erlebte Aggression

[34] Siehe Kapitel 6.

erhöht das Risiko, selbst aggressiv zu agieren. Aber nicht nur bei einzelnen Personen, sondern auch bei Menschengruppen steigt das Risiko aggressiven Verhaltens vor allem dann, wenn kein Leben gelebt werden kann, das Bindungen und Beziehungen beinhaltet. Ursachen hierfür können einerseits extreme wirtschaftliche Not, aber auch Traumatisierungen sein, die einer Gruppe (oder einem Volk) als Ganzes zustoßen oder zugefügt werden.

Da Aggression die Tendenz hat, weitere Aggression hervorzurufen, ergeben sich sowohl zwischen Einzelpersonen als auch zwischen Gruppen (und Völkern) häufig Kreisläufe der Gewalt, aus denen schwer herauszufinden ist. Eine zentrale Rolle spielen hier Hilfestellungen zur Streitschlichtung von dritter Seite. Nicht zuletzt aufgrund ihrer primär auf Kooperation gerichteten Orientierung erleben Menschen – auch wenn sie selbst nicht direkt beteiligt sind – fortgesetzte Aggression als starken emotionalen und neurobiologischen Stressor. Die tiefe neurobiologische Verwurzelung des Versöhnungs- und Kooperationsmotivs zeigt sich daran, dass auch bei Säugetieren Streitschlichtungen zu beobachten sind.[35] Die Erörterung von Wegen und Methoden der Streitschlichtung (zwischen Personen) und Friedenssicherung (zwischen politischen Gruppen) würde hier den Rahmen sprengen. Bei beziehungs- und friedensunfähigen, meist selbst traumatisierten Einzelpersonen reichen herkömmliche Methoden, Aggression abzubauen, nicht aus.

[35] Siehe Lee Dugatin (2005).

In solchen Fällen ist psychotherapeutische Hilfe notwendig.[36]

Aggression ist weder eine Bestimmung des Menschen noch sein Schicksal. Die Bestimmung des Menschen ist es, ihn tragende Beziehungen zu finden und diese zu bewahren und zu schützen. Die Fähigkeit zur Aggression versetzt den Menschen in die Lage, Beziehungen gegen Angriffe zu verteidigen und Störungen innerhalb von Beziehungen zu regulieren. Die Beachtung des Zusammenhangs zwischen Beziehungs- und Bindungsgeschehen einerseits und aggressiven Impulsen andererseits eröffnet die Möglichkeit, das Entstehen schwerwiegender oder chronischer Aggression zu vermeiden.

---

[36] An schweren Fällen von Dissozialität können auch psychotherapeutische Hilfestellungen scheitern. Hier kann oft nur ein stukturiertes Milieu helfen.

4.
Darwins »war of nature« und das Prinzip der Unmenschlichkeit

»Der Mensch prüft mit skrupulöser Sorgfalt den Charakter und den Stammbaum seiner Pferde, Rinder und Hunde, ehe er sie paart. Wenn er aber zu seiner eigenen Heirat kommt, nimmt er sich selten oder niemals solche Mühe ... Doch könnte er durch Auswahl *(selection)* nicht bloß für die körperliche Konstitution und das Aussehen seiner Nachkommen, sondern auch für ihre intellektuellen und moralischen Eigenschaften etwas tun. Beide Geschlechter sollten sich der Heirat enthalten, wenn sie in irgendeinem besonderen Grade an Körper oder Geist minderwertig *(inferior)* wären ... Alles was uns diesem Ziele näher bringt, ist von Nutzen ... Wenn die Klugen das Heiraten vermeiden, während die Sorglosen heiraten, werden die minderwertigen Glieder der menschlichen Gesellschaft die besseren zu verdrängen streben. Wie jedes andere Tier ist auch der Mensch ohne Zweifel auf seinen gegenwärtigen hohen Zustand durch einen Kampf um die Existenz in Folge seiner rapiden Vervielfältigung gelangt, und wenn er noch höher fortschreiten soll, so muß er einem heftigen Kampf ausgesetzt bleiben ... Es muß für alle Menschen offene Konkurrenz bestehen, und es dürfen die Fähigsten nicht durch Gesetze oder Gebräuche daran gehindert werden, den größten Erfolg zu haben.« Der dieses unter »Allgemeine Zusammenfassung und Schlußfolgerung« am Ende seines zweiten Hauptwerkes schrieb, war nicht irgendeiner der nachdarwinistischen Sektierer, auf die manche gern verweisen, wenn es gilt, den großen Charles Darwin in Schutz zu nehmen. Es war Darwin selbst, der dies als sein Vermächtnis hinterließ.[1] Dieses Vermächtnis sollte – ebenso wie jenes von Karl Marx (1818–1883) – zu einem von zwei großen Menschheitsexperimenten führen.[2] Die Folgen waren in beiden Fällen weit reichend und fatal.

Charles Darwin, der von 1809 bis 1882 lebte, war ohne jede Frage einer der großen Naturforscher der Neuzeit. *An der Abstammungslehre, der zufolge alles Leben auf der Erde durch einen gemeinsamen Entwicklungsstammbaum verbunden ist, kann angesichts einer erdrückenden wissenschaftlichen Datenlage kein Zweifel bestehen.* Ursprünglich aus der Theologie kommend[3], wandte sich Darwin früh der Naturforschung zu und studierte in Cambridge Geologie, beschäftigte sich aber schon damals auch mit der Biologie. Die vielfältigen und detaillierten Naturbeobachtungen, die er unter anderem auf einer fünfjährigen Weltreise gemacht hatte, fasste er in einer umfassenden Theorie zusammen. Seine *Evolutionstheorie* stellte die Erd- und Naturgeschichte erstmals auf eine na-

[1] Darwin, C.: Die Abstammung des Menschen (1871), III. Teil, Kapitel 21, S. 699 und 700.

[2] Darwins Abstammungslehre, die unbestritten ist, bleibt von meiner Kritik ebenso ausgenommen wie Karl Marx' kritische Analyse eines ungezügelten, menschenverachtenden Kapitalismus.

[3] Noch vor seinem Theologiestudium hatte er mit einem Medizinstudium begonnen, das er aber nicht abschloss.

turwissenschaftlich begründete Basis. Gestützt auf seine sorgfältigen Untersuchungen an Sedimenten, die Zeugnis vom Leben in früheren Erdzeitaltern ablegen, erkannte Darwin, dass sich aus einfachen Formen des Lebens durch *Variation*, also durch Veränderungen des biologischen Substrats, eine zunehmende Verschiedenartigkeit der Arten des Pflanzen- und Tierreichs entwickelt hat.[4] Aufgrund der Tatsache, dass – wie in Sedimenten erhaltene Überreste zeigen – zahlreiche Arten, die einst die Erde bevölkert hatten, heute nicht mehr existieren, erkannte und formulierte Darwin schließlich auch das Prinzip der *Selektion*. Hätte er es dabei belassen, wäre er heute ohne Zweifel der unumstrittene Newton der Biologie.[5] Tatsächlich aber erweiterte Darwin seine Theorie um eine Reihe von Annahmen, die er als Prinzipien des Naturgeschehens definierte: Das Verhältnis sowohl zwischen Individuen als auch zwischen Arten sei geleitet von

---

[4] Unklar ist bis heute allerdings, welche Art von »Variation« im Bereich der Gene zur Bildung neuer Arten führt. Für die landläufige Meinung, genetische Mutationen seien dafür verantwortlich, gibt es – worauf unter anderem Lynn Margulis (2002) hingewiesen hat – kein einziges Beispiel. Mutationen können fehlerhafte Entwicklungen oder Krankheiten verursachen, vermutlich aber keine neuen Arten hervorbringen. Neue Arten entstehen nach Ansicht namhafter Biologen am ehesten durch Genduplikation sowie durch verschiedene Formen des Gen-Austausches, so etwa über Viren, Endosymbiose oder Bastardbildungen (Margulis, 2002, siehe auch Kapitel 5). Nach neuesten Erkenntnissen ist zum Beispiel der heutige Mensch das Ergebnis eines Gen-Austausches aufgrund einer Bastardbildung (Kreuzung) zwischen Vorläufern des Menschen und Vorläufern der heutigen Schimpansen (Patterson et al., 2006). Bastardbildungen könnten auch in anderen Fällen der Ausgangspunkt für die Entstehung neuer Arten gewesen sein (Mavarez et al., 2006).

[5] Isaac Newton (1643–1727) war einer der Väter der Physik, er entdeckte unter anderem das Gesetz der Gravitation.

einem fortwährenden, *gegeneinander* geführten Kampf ums Überleben (»struggle for life«).[6] Nur diesem Kampf sei die Entwicklung von »niedereren« zu »höheren« Arten zu verdanken, und er sorge entsprechend auch für das Verschwinden von Arten. Lebende Systeme, die nicht Meister im »struggle for life« blieben, gingen daher das Risiko ein, vernichtet zu werden. Diese Prinzipien, so Darwin ausdrücklich, sollten auch das Leben des Menschen bestimmen, und zwar sowohl im Hinblick auf die Beziehung des Menschen zu anderen Arten (Tierarten) als auch hinsichtlich der Beziehung der menschlichen »Rassen« untereinander.

Darwins Konzept vom Kampf als Grundprinzip der Natur

Darwin bezeichnete das Geschehen innerhalb der Pflanzen- und Tierwelt als »Krieg« (»war of nature«).[7] Symbiose, biologische Kooperation und altruistisches Verhalten sah er als sekundäre Phänomene an, die sich ausschließlich aus dem »struggle for life« heraus entwickelt hätten und nur in dessen Diensten stünden.[8] Der

---

[6] Darwin betonte, dass der Kampf primär gegeneinander (und nicht primär gegen die Härten der unbelebten Natur) geführt werde (Darwin, 1859, Kapitel 11, S. 422; Kapitel 15, S. 563; siehe auch Kapitel 11, S. 402ff.). Vor diesem Hintergrund sei »das Gesetz des Kampfes ums Dasein das entscheidendste aller Kriterien« (Darwin, 1859, Kapitel 11, S. 414).

[7] Darwin (1859), Kapitel 4, S. 97 (und viele weitere Stellen).

[8] »Ein Stamm, welcher viele Glieder umfaßt, die in einem hohen Maße den Geist des Patriotismus, der Treue, des Gehorsams, Mutes und der Sympathie besitzen und daher stets bereit sind, einander zu helfen und sich für

gegeneinander geführte Kampf ums Überleben sei das entscheidende Element der natürlichen Selektion[9] und die unabdingbare Voraussetzung für die Entwicklung von niedereren zu höheren Arten gewesen. *Eine Weiterentwicklung zu noch »höheren« Stufen des Lebens setze daher das Fortbestehen des Kampfes voraus*, was insbesondere auch für den Menschen gelte (siehe das Zitat auf S. 95). Darwin ging dabei auch von einer unterschiedlichen Wertigkeit »menschlicher Rassen« aus[10] und hielt deren gegenseitige Vernichtung für den normalen Lauf der Dinge.[11] Er sah in den Annehmlichkeiten der Zivilisa-

---

das allgemeine Beste zu opfern, wird über die meisten anderen Stämme den Sieg davontragen, und dies würde natürliche Zuchtwahl sein.« (»Natural selection« könnte auch mit »natürliche Auslese« übersetzt werden.) Darwin (1871), Teil I, Kapitel 4, S. 146, siehe dort auch S. 119–140.

[9] Darwin betonte ausdrücklich, dass er die Auseinandersetzung »zwischen Organismus und Organismus« als das maßgebliche Selektionsprinzip betrachtete (Darwin, 1859, Kapitel 15, S. 563). »Die Bewohner der Erde aus einer jeden der aufeinanderfolgenden Perioden ihrer Geschichte haben ihre Vorgänger im Kampfe ums Dasein besiegt und stehen insofern auf einer höheren Vollkommenheitsstufe als diese« (Darwin, 1859, Kapitel 11, S. 422).

[10] »Die [menschlichen] Rassen weichen auch in ihrer Konstitution, in der Akklimatisationsfähigkeit und in der Empfänglichkeit für verschiedene Krankheiten voneinander ab; auch sind ihre geistigen Merkmale sehr verschieden, hauptsächlich allerdings, wie es scheinen dürfte, in der Form ihrer Gemütserregungen, zum Teil aber auch in ihren intellektuellen Fähigkeiten« (Darwin, 1871, Kapitel 7, S. 187, siehe insgesamt Kapitel 7 »Über die Rassen des Menschen«, S. 185ff.). Unter anderem unterschied Darwin auch den »arischen Stamm« von dem der Juden, »welche zum semitischen Stamm gehören«; Darwin enthielt sich in diesem Punkt allerdings einer Wertung (Darwin, 1871, Kapitel 7, S. 214).

[11] »Das Aussterben [von Menschenrassen] ist hauptsächlich eine Folge der Konkurrenz eines Stammes mit dem anderen und einer Rasse mit der anderen« (Darwin, 1871, Kapitel 7, S. 203).

tion, insbesondere in medizinischen und sozialen Einrichtungen, die den Selektionsdruck vermindern, eine Begünstigung biologischer Degeneration: »Bei den Wilden werden die an Geist und Körper Schwachen bald beseitigt ... Auf der anderen Seite tun wir zivilisierte Menschen alles nur Mögliche, um den Prozeß der Beseitigung aufzuhalten. Wir bauen Zufluchtsstätten für die Schwachsinnigen, für die Krüppel und die Kranken; wir erlassen Armengesetze, und unsere Ärzte strengen sich an, das Leben eines jeden bis zum letzten Moment zu erhalten. Es ist Grund vorhanden anzunehmen, daß die Impfung Tausende erhalten hat, welche in Folge ihrer schwachen Konstitution früher den Pocken erlegen wären ... Niemand ... wird daran zweifeln, daß dies für die Rasse des Menschen in höchstem Maße schädlich sein muß« (Darwin, 1871, Teil I, S. 148). Mehr noch: Anerkennend wird von Darwin erwähnt, dass die Spartaner »eine Art Selektion« betrieben hätten, indem sie nicht lebenstüchtige Neugeborene »dem Tode überlassen« hätten (Darwin, 1871, Kapitel 1, S. 32). Vor diesem Hintergrund wird die bereits erwähnte Äußerung von Darwins Hochschulprofessor an der Universität Cambridge Adam Sedgwick (1785–1873) verständlich, der an Darwin nach Lektüre der »Entstehung der Arten« im Jahre 1859 schrieb: »Humanity might suffer a damage that might brutalize it« (Die Menschlichkeit könnte einen Schaden erleiden, der die Menschheit brutalisieren könnte).[12]

---

[12] Humanity (Menschentum) kann im Englischen Menschlichkeit und Menschheit bedeuten. Zitat aus: »The Correspondence of Charles Darwin», Vol. 7: 1858–1859, S. 397.

Hintergründe für Darwins Denken: Die Industriestaaten als eine Art Dinosaurier der Gegenwart?

Die von Darwin vorgenommene Einengung und Zuspitzung der biologischen Entwicklung auf den Aspekt des Kampfes hat, soweit es sich aus seinem Werk erkennen lässt, zwei Gründe. *Der erste Grund* dürfte im Werk eines Mannes liegen, auf den sich Darwin an zahlreichen Stellen seiner beiden Hauptwerke bezieht: Thomas Robert Malthus (1766–1834) war Nationalökonom und hatte bereits 1798 einen Text publiziert[13], der großen Einfluss auf die Eliten Englands hatte. Darin prognostizierte Malthus angesichts einer zunehmenden Bevölkerung bei gleichzeitig konstanter Nahrungsmittelproduktion einen Kampf ums Überleben und ein Massensterben von Menschen.[14] Zur Zeit von Malthus und Darwin war England ein durch Industrialisierung, Bevölkerungszunahme, Ausbeutung und Massenelend gekennzeichnetes Land. Darwin scheint die damaligen sozialen Verhältnisse in England für eine Art natürliches Labor gehalten zu haben, von dem auf den Gesamtablauf der Naturgeschichte geschlossen bzw. extrapoliert werden könne. Diese Analogie war nicht nur offensichtlich falsch. Darwin argumentierte in diesem Punkt auch durchaus widersprüchlich: Überall da, wo er die Notwendigkeit der Selektion durch Konkurrenz und Kampf unterstreichen wollte, betonte er die *unabänderliche* »geometrische Ver-

[13] Titel des Malthus-Werkes: »Essay on the principles of population«.

[14] Darwin (1859), Vorwort (»Historische Skizze«), S. 12.

mehrung« von Lebewesen[15], aus der sich unweigerlich ein Kampf ums Überleben ergeben müsse. An anderen Stellen seines Werkes diskutierte er aber das – in der Natur tatsächlich zu beobachtende – Phänomen, dass unter Umweltstress stehende Arten von sich aus ihre Vermehrungsraten reduzieren.[16] Diese Beobachtung ging aber nicht in seine Theorien ein. Tatsächlich regulieren sich viele, vielleicht sogar die meisten biologischen Systeme, wenn Umweltbedingungen ungünstiger werden, hinsichtlich ihrer Nachkommen selbst.

Der zweite Grund für Darwins Betonung, der Kampf der Arten ums Überleben sei ein Grundgesetz der Natur, könnte gewesen sein, dass er das Aussterben der Dinosaurier für ein eindrucksvolles Beispiel dieses Kampfes hielt. Darwin, der an zahlreichen Stellen der Erde Ablagerungen in Gesteinen und Sedimenten studiert hatte, war beeindruckt vom Verschwinden der Dinosaurier und sehr vieler weiterer Arten vor rund 65 Millionen Jahren.[17] Klimatische Veränderungen auf der Erde, die schon zu Darwins Zeiten als mögliche Ursache diskutiert wurden, schloss er explizit aus. Stattdessen legte er sich wiederholt darauf fest, dass die Dinosaurier – und mit ihnen zahlreiche weitere Spezies – *im Artenkampf* untergegangen sein müssten.[18]

---

[15] Darwin (1859), Kapitel 3, S. 85f., 97; Kapitel 4, S. 128; Kapitel 15, S. 542.

[16] Darwin (1859), Kapitel 9, S. 341; Kapitel 15, S. 535f.

[17] Darwin (1859), Kapitel 11, S. 390–422, sowie Kapitel 15, S. 550 und 563.

[18] »Es ist in der Tat zwecklos, die Ursache dieser großen Veränderungen der Lebensformen auf der ganzen Erdoberfläche und unter den verschie-

Darwins Annahme, mit dem spektakulären Verschwinden der Dinosaurier und zahlreicher weiterer Arten ein überzeugendes Beispiel für die Theorie vom gegeneinander geführten Kampf der Arten gefunden zu haben, könnte ihn veranlasst haben, die Rolle des Kampfes zu überschätzen und dabei andere wichtige Prinzipien der Evolution außer Acht zu lassen (vielleicht favorisierte er die Annahme aber auch, um seine Theorie über die zentrale Bedeutung des Kampfes für die Evolution stützen zu können). Was das Verschwinden der Saurier betrifft, so fanden sich knapp hundert Jahre nach Darwins Tod erste Hinweise darauf, dass das Saueriersterben wohl die Folge einer geophysikalischen Megakatastrophe gewesen war, möglicherweise nach einer gewaltigen Serie von Vulkanexplosionen oder nach einem gigantischen Meteoriteneinschlag.[19] Auch zahlreiche weitere Beobachtungen aus neuerer Zeit, welche die Vorrangstellung des

---

densten klimatischen Bedingungen im Wechsel der Seeströmungen, der Klima's oder anderer physikalischer Lebensbedingungen suchen zu wollen ... Diese große Tatsache von der parallelen Aufeinanderfolge der Lebensformen auf der ganzen Erde ist aus der Theorie der natürlichen Zuchtwahl erklärbar« (Darwin, 1859, Kapitel 11, S. 402). »Der Theorie der natürlichen Zuchtwahl gemäß müßten demnach die neuen Formen ihre höhere Stellung den alten gegenüber nicht nur durch den fundamentalen Beweis ihres Sieges im Kampfe ums Dasein, sondern auch durch weiter gediehene Spezialisierung der Organe bewähren« (Darwin, 1859, Kapitel 11, S. 413). Darwin betonte vielfach, dass der Kampf ums Überleben primär *gegeneinander* geführt werde (Darwin, 1859, Kapitel 11, S. 563).

[19] Der Physik-Nobelpreisträger Luis Alvarez und sein Sohn Walter, der Geologe war, hatten 1980 aufgrund des Nachweises des seltenen Elements Iridium in Sedimenten die Theorie eines Meteoriteneinschlages aufgestellt. Andere vermuten den Einfluss von Vulkanen (siehe auch Jeff Hecht, »New Scientist«, 10. September 2005, S. 18).

»Struggle-for-life«-Prinzips für die Evolution relativieren (zum Beispiel Hinweise auf primär kooperative Mechanismen wie die Endosymbiose, auf die ich noch eingehen werde), standen Darwin zu seiner Zeit nicht zur Verfügung. Umso tragischer war, welche fatalen Folgen seine auf Kampf und Selektion verengte Sicht nach sich ziehen sollte.

Die Fehldeutung von Kampf und Selektion als treibende Kraft der Evolution: Ein Gleichnis

Mit Hilfe eines Gleichnisses soll deutlich gemacht werden, was der Fehlschluss in Darwins Denken war und ist. Nehmen wir an, wir würden als Außerirdische einen Blick auf die Erde werfen, wo uns, dies sei Teil der Annahme, als Erstes der Straßenverkehr auffiele. Um herauszufinden, was das Wesen, der Sinn und der Zweck dieses Verkehrs sei, würden wir ihn über lange Zeit – sagen wir einige Jahrzehnte – wissenschaftlich beobachten. Wir würden bemerken, dass Fahrzeuge Unfälle verursachen und dass dabei auch Menschen zu Tode kommen. Bei näherer Betrachtung stellen wir fest, dass die größten Personenschäden und die meisten Todesfälle in jenen Fahrzeugen zu verzeichnen sind, die – im Vergleich zu ihren Unfallpartnern – technisch weniger vollkommen und unsicherer waren. Wir würden entdecken, dass immer wieder neue, verbesserte Fahrzeugmodelle auf den Straßen auftauchen, bei denen jeweils weniger Unfälle und Todesfälle jener Art passieren, wie sie bei den Vorgängermodellen zu beobachten waren. Die jeweils neuen Fahrzeuge bieten aufgrund einer sichereren Bauweise ihren Insassen einen verbesserten Überlebensschutz. Allerdings verursachen auch die technisch verbesserten Nachfolgemodelle Unfälle, auch solche mit Todesfolge. Dass sich auch hier wieder die meisten Todesfälle in den Fahrzeugen ereignen, die im Vergleich zu ihren Unfallpartnern unsicherer bzw. technisch schlechter sind, wird von uns als regelhaftes, konstantes Faktum erkannt. Auch gibt es zu unserem Erstaunen eine erhebliche Zahl von Fahrern, deren Fahrstil derart riskant ist, dass wir annehmen, sie hätten es auf eine Auslöschung anderer abgesehen.

Unter Zusammenfassung aller Beobachtungen kämen wir nun zu folgender Theorie: Der Straßenverkehr (die belebte Natur) des von uns beobachteten Planeten Erde zeigt einen evolutionären Verlauf, der durch einen Überlebenskampf (Konkurrenzkampf und natürliche Selektion) der besseren gegen die schlechteren Fahrzeuge (Pflanzen- und Tierarten) gekennzeichnet ist. Der sich in Unfallereignissen (natürliche Selektion) ausdrückende Überlebenskampf habe eine immer weitere Vervollkommnung der Fahrzeuge (Pflanzen- und Tierarten) zur Folge. Wir gelangen nun zu der Schlussfolgerung, dieser Überlebenskampf sei zwingend nötig, um die Entwicklung zu immer »höher entwickelten« Fahrzeugen voranzutreiben. – So weit dieses Gleichnis.[20]

---

[20] Die Metapher ließe sich noch erweitern: Um das Geschehen besser zu verstehen, hätten wir Autoschrottplätze analysiert und festgestellt, dass es lange vor Beginn unserer Erdbeobachtung einen Zeitpunkt gegeben haben muss, zu dem es zwei Fahrzeugtypen gab, sehr große Fahrzeuge mit schwacher und deutlich kleinere Fahrzeuge mit starker Achse. Die Analyse der Schrottplätze würde Hinweise darauf enthalten, dass zu einem Zeitpunkt X

Ohne es zu merken, hätten wir mit unserer schönen und nur schwer widerlegbaren Theorie an der eigentlichen Frage, nämlich was der Sinn und Zweck des Straßenverkehrs sei, vorbeiargumentiert. Sinn und Zweck des Straßenverkehrs ist bekanntlich, dass er Mobilität ermöglicht und wir zueinander kommen können. Was das Ziel der Evolution der Natur ist, bleibt nach dem bisherigen Stand der Forschung ein ungelüftetes Geheimnis. Wissenschaftlich gesehen, bleibt unbewiesen, dass Kampf und Selektion etwas mit dem Ziel der Evolution zu tun haben, ebenso wie Unfallereignisse, Unfalltote und die dadurch vorangetriebene Verbesserung von Fahrzeugmodellen nicht das eigentliche Ziel des Straßenverkehrs sind.

(der vor Beginn unserer Beobachtungen lag) alle großen Fahrzeuge aus dem Verkehr verschwunden sein mussten. Dieser Bautyp tauchte danach nie mehr auf, weder auf Schrottplätzen noch in dem von uns beobachteten gegenwärtigen Verkehr. Stattdessen fanden sich vom Zeitpunkt X an nur noch kleinere Fahrzeuge. Unsere Schlussfolgerung wäre, dass zum Zeitpunkt X die kleinen Fahrzeuge mit starker Achse (Säugetiere) die großen Fahrzeuge mit schwacher Achse (Saurier) in einem gigantischen Vernichtungskampf durch Straßenunfälle beseitigt hätten. Erst viele Jahre nach unseren Beobachtungen hätten Forscher dann aber festgestellt, dass es zum Zeitpunkt X ein Erdbeben (Vulkanausbrüche oder einen Meteoriteneinschlag mit schweren Klimaveränderungen) gab, bei dem alle großen Fahrzeuge mit schwacher Achse Achsenbruch erlitten (an den Folgen der Klimaveränderung ausstarben), und dass von da an nur noch Fahrzeuge mit starker Achse gebaut worden seien (dass nur die Säugetiere unter diesen neuen Bedingungen überlebten).

»Die Unterstützung, die ich aus Deutschland erhalte, ist mein Hauptgrund zu hoffen, dass sich unsere Sicht am Ende durchsetzen wird«[21], so schrieb Darwin in einem Brief aus dem Jahre 1886 an den deutschen Psychologen Wilhelm Preyer.[22] Darwin hatte mit seiner Lehre im eigenen Land zunächst keinen leichten Stand. In Deutschland jedoch wurde er nach Erscheinen seiner Werke schnell und zustimmend rezipiert, und dies nicht nur von einem Teil der Eliten, sondern von einer breiten bildungsbürgerlichen Schicht. Geologen und Biologen griffen Darwins Lehren begeistert auf, aber auch Mediziner, Geisteswissenschaftler und Publizisten. Urvater des Darwinismus in Deutschland war der Jenaer Zoologieprofessor Ernst Haeckel (1834–1919), ein angesehener Akademiker[23], der Darwins Gedanken in einer Serie von Bestsellern in der deutschen Leserschaft verbreitete.[24] Haeckel sorgte sich, dass die Medizin sowie soziale Einrichtungen, die sich die zivilisierten europäischen Gesellschaften gera-

---

[21] »The support which I receive from Germany is my chief ground for hoping that our views will ultimatively prevail«, aus: The life and the letters of Charles Darwin. Siehe Francis Darwin (1919), Band 2, S. 270.

[22] Wilhelm Preyer (1841–1897) war Professor für Psychologie in Jena und Berlin. 1882 schrieb er das Buch »Über die Seele des Kindes«, eines der ersten Werke zur Psychologie der Kindheit.

[23] Bereits 1863, nur vier Jahre nach Erscheinen von Darwins erstem Hauptwerk, hielt er einen Vortrag, »Über die Entwicklungstheorie Darwins«, vor der 38. Versammlung der bis heute angesehenen Gesellschaft Deutscher Naturforscher und Ärzte DGNÄ.

[24] Seine wichtigsten Bücher waren »Natürliche Schöpfungsgeschichte« (1868), »Die Welträtsel (1903), »Die Lebenswunder« (1904) und »Ewigkeit« (1917).

de aufzubauen begannen, dem Gedanken der Selektion zuwiderlaufen und die Degeneration der Bevölkerung begünstigen würden.[25] Unter Hinweis auf die Spartaner befürwortete er die Euthanasie (Tötung) von nicht gesunden Neugeborenen, am besten »mit einer kleinen Dosis Morphium oder Zyanid«.[26] »In solchen wichtigen ethischen (!) Fragen« wie der Aussonderung der Lebensuntüchtigen müsse »Vernunft« vor »Emotion« gehen.[27] Haeckel betonte sowohl die individuelle biologische Ungleichheit einzelner Menschen als auch die der »Rassen«. Er erklärte, der biologische Unterschied zwischen den am meisten und am wenigsten kultivierten Menschen sei größer als der Unterschied zwischen am wenigsten kultivierten Menschen und hoch entwickelten Menschenaffen.[28] Einen gegeneinander gerichteten Konkurrenzkampf der menschlichen »Rassen« hielt er, wie Darwin, für eine unausweichliche Konsequenz des Kampfes ums Dasein, wobei er eine Niederlage und Ausrottung von Aborigines, Indianern und Afrikanern vorhersagte.[29] Nur den Krieg lehnte Haeckel ab, da er die »Falschen«, nämlich die tüchtigsten jungen Männer eines Volkes, töte.

---

[25] Haeckel (1868/1870), S. 154f.

[26] Ibidem, S. 152–155; ders. (1904), S. 22, 135f.; ders. (1917), S. 33f.

[27] Haeckel (1904), S. 136.

[28] Haeckel (1866), Band II, S. 435.

[29] Haeckel (1868/1870), S. 153 und 520.

»Das Individuum ist nichts, die Art ist alles«

Zu jenen, die in eine sehr frühen Phase zur Popularisierung Darwins in Deutschland beitrugen, gehörte auch der Mediziner Ludwig Büchner (1824–1899), der durch mehrere Bücher, vor allem aber durch sein in vielen Auflagen erschienenes Werk »Kraft durch Stoff«[30] Berühmtheit erlangte. Auf ihn geht der später in leichter Abwandlung berühmt gewordene Satz zurück: »Das Individuum ist nichts ..., die Art ist alles«.[31] Wie viele einflussreiche Gebildete, so glaubte und befürwortete auch Büchner, der Kampf ums Dasein werde zur Auslöschung »minderwertiger Rassen« führen, »die weiße kaukasische Rasse ist dazu bestimmt, die Weltherrschaft zu übernehmen«.[32] Dass individuelles Leben nur so lange von Wert sei, wie es der Art diene, war auch die Meinung des berühmten Freiburger Zoologie-Professors August Weismann (1834–1914).[33] Der Tod beseitige Individuen, die für die Erhaltung der Art wertlos und sogar gefährlich seien.[34] Die moderne Medizin wirke, so Weismann,

---

[30] Büchner (1856).

[31] Büchner (1882), S. 100. Die spätere Abwandlung dieses menschenverachtenden Satzes im Nationalsozialismus lautete: »Du bist nichts, dein Volk ist alles«.

[32] Büchner (1872), S. 147.

[33] August Weismann formulierte das Prinzip der »Weismann-Barriere«, der zufolge körpereigene Gewebe, die Eizellen oder Spermien produzieren können (die »Keimbahn«), vor Veränderungen ihrer Erbmasse durch Umwelteinflüsse geschützt sind. Weismann gehörte zu denjenigen, welche die in Vergessenheit geratenen Entdeckungen Gregor Mendels und dessen diesbezügliche Verdienste wieder in Erinnerung riefen.

[34] Weismann (1892), S. 11 und 27f.

der natürlichen Auslese in bedauerlicher Weise entgegen und fördere die Degeneration, da sie zum Beispiel zulasse, dass sich mit Brillen versorgte Kurzsichtige und zahnmedizinisch behandelte Zahnleidende besser vermehren könnten, als wenn sie unbehandelt geblieben wären.[35] Weismann war, wie auch Haeckel, Gründungs- und Ehrenmitglied der vom Münchner Mediziner Alfred Ploetz (1860–1940) im Jahre 1905 gegründeten »Deutschen Gesellschaft für Rassenhygiene«, die in den nachfolgenden Jahren und Jahrzehnten einen gewaltigen Einfluss auf das Denken in Deutschland hatte.[36]

Alfred Ploetz, der sich mit seinen Ideen ausdrücklich auf Darwin bezog, war ein expliziter Befürworter »eugenischer« Maßnahmen, deren Ziel die Erhaltung und Verbesserung des Erbgutes sein sollte. Er setzte sich dafür ein (die Mitglieder seiner »Gesellschaft für Rassenhygiene« mussten sich diesem Gebot sogar verpflichten), dass Individuen nur dann Nachwuchs zeugen sollten, wenn sie sich vorher hinsichtlich einer hinreichenden »Güte« ihrer Erbanlagen hatten medizinisch begutachten lassen.[37]

---

[35] Weismann (1892), S. 549, 566, 574f.

[36] Siehe auch Wolfgang Eckart: Auf dem Weg zur Herrenrasse (anlässlich des 100-jährigen Bestehens der »Gesellschaft für Rassenhygiene«). »Süddeutsche Zeitung« vom 22. Juni 2005.

[37] Siehe Richard Weikart: »From Darwin to Hitler«, S. 92f. Der US-Historiker Weikart erhielt vom hochbetagten Wilfried Ploetz, dem am Ammersee lebenden Sohn von Alfred Ploetz, Einsicht in zahlreiche Unterlagen seines Vaters und weitere mündliche Informationen. Weikart erwähnt in seinem Buch (S. 15) auch einen Brief von A. Ploetz an dessen Freund Carl Hauptmann, in welchem sich A. Ploetz ausdrücklich dazu bekannte, seine die Eugenik betreffenden Ideen von Darwin bezogen zu haben (Eugenik bedeutet Maßnahmen zur »Verbesserung« der Qualität der Gene).

Je schneller, so Ploetz, sich eine Gesellschaft ihrer Älteren, ihrer unheilbar Kranken und Behinderten entledigen könne, umso besser.[38] Wie Haeckel, so war auch Ploetz gegen den Krieg eingestellt, da er zur Tötung der »Falschen«, nämlich der Tüchtigsten und Kampfbereitesten, führe. Allerdings findet sich bei ihm der Gedanke, man könne gezielt die »minderwertigen Elemente« unter den Soldaten an der Front als »Kanonenfutter« einsetzen.[39] Ploetz postulierte die Ungleichheit der menschlichen »Rassen«, wobei er sich ausführlich zur angeblichen Überlegenheit der »nordisch-germanischen Rasse« und der von ihm behaupteten Minderwertigkeit zahlreicher anderer »Rassen« ausließ.[40] Vor diesem Hintergrund war klar, dass Ploetz den humanistischen, demokratischen ebenso wie den christlichen Gleichheitsgedanken nachdrücklich ablehnte.[41] Insoweit war er sich einig mit Wilhelm Schallmeyer (1857–1919), einem weiteren in seiner Zeit äußerst einflussreichen Mediziner, dessen 1903 erschienenes, viel gelesenes Buch »Vererbung und Auslese im Lebenslauf der Völker« bis in die zwanziger Jahre hinein mehrfach neu aufgelegt wurde. Schallmeyers Ansichten deckten sich weitgehend mit jenen von Ploetz. Er war der Meinung, ethisch sei, was dem Überleben und der Reproduktion diene.[42] Wie viele andere Meinungs-

[38] Ploetz (1895b).

[39] Ploetz (1895a), S. 147.

[40] Ploetz (1895), ibidem. S. 5, 10, 78, 91–95, 130–132. Siehe auch Weikart (2004), S. 117–119.

[41] Ploetz (1895), ibidem. S. 194–196.

[42] Schallmeyer (1903), S. 235, 245, 250.

bildner seiner Zeit[43] bekannte sich Schallmeyer zum »Recht des Stärkeren«, welches seine ethische Rechtfertigung aus dem Sieg der besseren über die weniger angepassten Lebewesen ziehe. Schallmeyer führte – darin Darwin folgend – explizit aus, dass dieses Gesetz nicht nur in der Natur, sondern seiner Meinung nach auch in der menschlichen Gesellschaft Gültigkeit habe.[44]

Die Idee vom »höherwertigen« Menschen: Eugenik und Auslese durch Krieg

Die Zahl einflussreicher Persönlichkeiten aus allen Gebieten der Geistes- und Naturwissenschaften, die in Deutschland zwischen 1870 und 1930 die Ideen Darwins verbreiteten und um zahlreiche Elemente – vor allem in Richtung Eugenik und »Rassenkampf« – ergänzten, ist zu groß, als dass sie sich hier wiedergeben ließe.[45] Darwins Ideen erhielten dabei Zuspruch aus fast allen gesellschaftlichen und politischen Lagern der deutschen Gesellschaft. Verständlicherweise wurde die Evolutionstheorie, die eine rational nachvollziehbare Darstellung der Entwicklung der belebten Natur gab, als eine epochale Befreiung des

---

[43] Für das »Recht des Stärkeren« traten zahlreiche Prominente ein, unter anderem der Ethnologe und Publizist Friedrich Hellwald (1842–1892), der Germanist Alexander Tille (1866–1912), der Biologe Willibald Hentschel (1858–1947), der Geograph Friedrich Ratzel (1844–1904) und viele andere.

[44] Schallmeyer (1903), S. 213f.

[45] Genannt sei hier lediglich noch der Botaniker Ernst Krause (1839–1903), der sich Karolus Stern nannte und das meinungsbildende, viel gelesene Journal »Kosmos« herausgab.

Denkens erlebt, insbesondere deshalb, weil sie eine Ablösung der biblischen Schöpfungsgeschichte bedeutete, die ganz offensichtlich kein wissenschaftlich brauchbares Modell hergab. Vor diesem Hintergrund wurde Darwin von den aufgeklärten konservativen und bürgerlichen Kreisen ebenso begrüßt wie von der politischen Linken. Das Problem war, dass es nicht bei der Ablösung der Schöpfungsgeschichte durch die Abstammungslehre blieb. Unter den Darwin-Anhängern, die Ende des 19. Jahrhunderts nachdrücklich für eugenische Maßnahmen zur Erhaltung und »Verbesserung« des menschlichen Erbgutes eintraten, fanden sich nicht nur konservative Denker wie Alexander Tille (1866–1912), sondern auch politisch Linke wie Karl Kautsky (1854–1938).[46] Selbst herausragende Vertreterinnen der Frauenbewegung wie die Philosophin Helene Stöcker (1869–1943), die 1905 zu den Mitgründerinnen des »Bundes für Mutterschutz« gehörte und engagiert für die Rechte der Frau eintrat, machten hier Zugeständnisse. Stöcker äußerte in einer Rede vor dem von Ernst Haeckel gegründeten Monistenbund im Jahre 1913: »Weil wir höherwertige Menschen haben wollen, brauchen wir Eugenik und Rassenhygiene.«[47] Manches, was in dieser Richtung seinerzeit geäußert wurde, dürfte eine Konzession an den Zeitgeist gewesen sein (was umso mehr deutlich macht, von welcher Art dieser Zeitgeist bereits vor dem Ersten Weltkrieg war).

---

[46] Kautsky (1891), S. 644f.; und ders. (1910), S. 206 und 260–264.

[47] Stöcker (1914), S. 40. Siehe auch Richard Weikart (2004), S. 97f. Zu den Gründungsmitgliedern des »Bundes für Mutterschutz« gehörte auch Alfred Ploetz.

In seinen Auswirkungen besonders verhängnisvoll dürfte ein vom US-Historiker Richard Weikart in einem jüngst erschienenen Buch erwähnter Umstand gewesen sein[48]: Zwei der vor dem Ersten Weltkrieg einflussreichsten Militärs in Deutschland und Österreich waren glühende Darwinisten und taten vor diesem Hintergrund ihre Überzeugung kund, dass Krieg eine unausweichliche und im Sinne der Darwinschen Gesetze zu befürwortende Maßnahme sei. Gestützt auf historische Quellen, weist Weikart darauf hin, dass der österreichische Generalstabschef Franz Conrad von Hötzendorf in seinen Aufzeichnungen[49] ein explizites Bekenntnis zum Kampf ums Dasein als Grundprinzip der Natur, zum Recht des Stärkeren und zur Niederwerfung der Schwachen durch die Starken abgelegt hat. Während von Hötzendorfs Bekenntnisse erst im Nachhinein öffentlich wurden (was nicht ausschließt, dass sie den Lauf der Dinge vor dem Ersten Weltkrieg erheblich mitbestimmt haben), hat Friedrich von Bernardi, ein renommierter und einflussreicher deutscher General, im Jahr 1912 ein Buch verfasst, welches in den zwei Jahren bis zum Beginn des Ersten Weltkrieges in Deutschland bereits in sechs Auflagen erschienen war.[50] Darin erklärt der Militär den Krieg zur »biologischen Notwendigkeit«, Krieg sei Vorbeugung gegen kulturelle Degeneration. Darwin habe gezeigt, dass überall in der Natur das Recht des Stärkeren regiere. Was brutal erscheine, sei in Wirklichkeit gut, denn das Schwa-

---

[48] Weikart (2004), S. 173f.

[49] Von Hötzendorf (1921, 1977).

[50] Von Bernardi (1912).

che werde beseitigt, und das Starke setze sich durch.[51] Gestützt auf Quellen weist Weikart darauf hin, dass es nicht nur diese beiden Generäle waren, die sich einen kommenden Krieg als reinigendes Naturereignis im Sinne der Darwinschen Auslese herbeiwünschten, sondern auch zahlreiche herausragende, von den Ideen Darwins inspirierte Vertreter der akademischen Eliten.[52]

Darwins Einfluss auf das Denken in der Medizin

Charles Darwin selbst war der Erste, der das, was er für die inhärenten Gesetze der Biologie hielt, auch auf das Zusammenleben der Menschen übertrug.[53] Für ihn war es der *gegeneinander geführte*, erfolgreiche Kampf ums Überleben, der darüber entschied, ob Tier- und Pflanzenarten die natürliche Selektion überstehen und ihrer Beseitigung von der Erdoberfläche entgehen konnte. Entscheidend war dabei in seiner Sicht »die *Wechselbeziehung zwischen Organismus zu Organismus*, in deren Folge eine Verbesserung des einen die Verbesserung oder Vertilgung des anderen bedingt«.[54] Dieses Gesetz galt für ihn »fast unabhängig von der Veränderung oder vielleicht plötzlichen Veränderung der physikalischen Bedingungen«.[55]

---

[51] Zitiert nach Weikart (2004), S. 174.

[52] Weikart (2004), S. 166–174.

[53] Siehe das Zitat am Anfang dieses Kapitels.

[54] Darwin (1859), Kapitel 15, S. 653. Für diese Auffassung fehlen allerdings, wie bereits erwähnt, bis heute überzeugende Beweise.

[55] Ibidem. Hätte Darwin die schon zu seiner Zeit diskutierte Hypothese anerkannt, dass das Verschwinden unzähliger Arten am Übergang zum

»Die Wechselbeziehung zwischen Organismus zu Organismus« war für ihn Konkurrenz, Verdrängung, Kampf und Vernichtung. Im Mittelpunkt von Darwins Blick auf die Naturgeschichte stand dabei nicht das Individuum. Die Bedeutung des Individuums beschränkte sich auf dessen Beitrag zur Erhaltung (oder zum Untergang) der Arten (Spezies), nur diese waren für Darwin Akteure und Gegenstand der Evolution. Arten, die sich rasch vermehrten, produzierten – so Darwin – ein höheres Maß an individuellen genetischen Varianten, was die Chance erhöhte, dass eine dieser genetischen Varianten sich im Verlauf des unvermeidlichen Kampfes ums Überleben als vorteilhaft erweise.[56] Daraus würden sich *zwei entscheidende logische Schlussfolgerungen* ergeben: 1. Im Kampf ums Dasein zu überleben würde bedeuten, dass innerhalb jeder überlebenden Art nach und nach immer »bessere« erbliche (genetische) Eigenschaften herausselektiert würden.[57] 2. Würde der Kampf ums Dasein aufhören und damit die Beseitigung (Selektion) der Individuen mit »schlechteren« Eigenschaften wegfallen, dann würde die

---

Tertiär durch klimatische, also »physikalische Bedingungen« verursacht worden sein könnte, so hätte dies die von ihm favorisierte (kämpferische) »Wechselbeziehung zwischen Organismus zu Organismus« relativiert.

[56] Für die Annahme, dass neue Arten durch Mutationen entstehen, gibt es, wie schon erwähnt, keinerlei Beweise. Wahrscheinlicher Ausgangspunkt für neue Arten sind Endosymbiose, Gentransfer oder Bastardbildungen.

[57] Was Darwin und Darwinisten als »besser« (oder »höherwertig«) im Vergleich zu »schlechter« (»minderwertig«) bezeichnen, ist eine Bewertung im Nachhinein: Was – aus welchen Gründen auch immer – überlebt, ist nach diesem Zirkelschluss »besser«. Die Natur gibt sich nach dieser speziellen Ex-post-Logik also selber »Recht«. Daraus wurde logischerweise das »Recht des Stärkeren«.

betroffene Art – dieser Logik zufolge – bezüglich ihres Erbgutes »degenerieren«, das heißt, sie würde eine immer größere Zahl von genetisch »minderwertigen« Individuen akkumulieren und aufgrund dessen irgendwann untergehen. Dass diese Denkweise auch auf den Menschen Anwendung finden sollte, dies meinte nicht nur Darwin, sondern innerhalb weniger Jahre ein Großteil der deutschen medizinischen und geisteswissenschaftlichen Elite. Was bedeutete dieses Denken für die Medizin?

Die Medizin als selbst ernannte Wächterin der Erbanlagen

Anstatt, wie dies seit Hippokrates oberste Regel ärztlichen Tuns war, dem einzelnen Patienten zu helfen, erklärte sich die Medizin zwischen 1870 und 1930 – lange vor Beginn des Nationalsozialismus – zunehmend zur selbst ernannten Wächterin über die Erbanlagen der menschlichen »Rasse«. Aus der ärztlichen Heilkunst wurde in wachsendem Maße eine Medizin, die – unter ausdrücklicher Bezugnahme auf die Naturideologie Darwins – mit kritischen Augen prüfte, ob einzelne Menschen hinsichtlich ihrer Erbanlagen »gut genug« fürs Leben waren. Mehr noch, sie beschäftigte sich auch damit, welche ethnischen Gruppen (»Rassen«) innerhalb der Menschheit »besser« als andere und daher würdig seien, auf dem Erdball zu überleben. Dem einzelnen Patienten zugewandt zu bleiben hätte bedeutet, den Zusammenhang zwischen den Lebensbedingungen des Menschen und seiner Gesundheit zu erforschen, gelingende oder misslingende biologische Anpassung des Organismus an unterschiedliche Umwelten und Lebensverhältnisse zu studieren und dort, wo diese Anpassung nicht gelang, mit medizinischen Mitteln zu helfen. Eine zunehmende Zahl von Ärzten jedoch erklärte Zuwendung zu den Schwachen für überkommene Gefühlsduselei. Die wahre Ethik bestand nun vielmehr darin, alles zur Verbesserung des Erbgutes der eigenen »Rasse« zu tun. Nach dieser neuen »Ethik« war es gut, wenn epidemische Infektionen (zum Beispiel eine Grippewelle) in regelmäßigen Abständen die Schwächsten dahinraffte oder wenn Behinderte ihrem Schicksal und damit dem Untergang überlassen wurden. Unethisch war jetzt dagegen, und dies wurde offen ausgesprochen und geschrieben, geschwächten Menschen, die scheinbar keinen nützlichen Beitrag zur Erhaltung der »Rasse« leisten konnten, zu helfen.

Einer der wenigen prominenten Ärzte, die sich Darwin und dem durch ihn angestoßenen Trend, der bereits vor 1900 voll im Gange war, widersetzten, war der Berliner Charité-Professor und Begründer der Zellularpathologie Rudolf Virchow (1821–1902).[58] Was sich in der Medizin aber durchsetzen sollte, war nicht Virchows, sondern Darwins Denken. Und dabei halfen einflussreiche Medi-

[58] Virchow warnte in einer Rede vor der Deutschen Gesellschaft der Naturforscher und Ärzte DGNÄ im Jahre 1877 vor Darwins Lehren. Virchow hatte sich zeit seines Lebens für Maßnahmen zum Schutze der Volksgesundheit gegenüber Infektionskrankheiten eingesetzt, an denen Menschen damals massenhaft starben. Als Abgeordneter im Preußischen Landtag setzte er sich – erfolgreich – für die Trinkwasserversorgung und Kanalisation der Stadt Berlin ein. Nach einem scharfen Rededuell mit Bismarck, der damals noch preußischer Ministerpräsident war, wurde Virchow von Bismarck zum Duell gefordert. Virchow lehnte die Schießerei ab.

ziner mit, über die schon berichtet wurde, unter ihnen Ludwig Büchner und Wilhelm Schallmeyer.[59,60] Zur gleichen Zeit publizierte der Psychiater Cesare Lombroso seine skurrilen, nichtsdestoweniger populären Arbeiten über den »geborenen Verbrecher«. Lombroso, der erklärter Darwin-Anhänger war, arbeitete in Italien, wurde in Deutschland aber stark rezipiert. Den Einbruch von Darwins Denken in die deutsche Medizin auf breiter Front ermöglichte die bereits erwähnte, 1905 von Ploetz gegründete »Deutsche Gesellschaft für Rassenhygiene«. Der renommierte Münchner Medizinprofessor Max von Gruber lobte in einer Rede anlässlich Darwins hundertstem Geburtstag den niemals endenden Kampf, da er »die Mißgebildeten, die Schwachen und die Minderwertigen« beseitige. Behinderte waren für ihn eine »enorme Last« und »eine fortwährende Gefahr für die Gesunden«.[61]

Ausdrücklich auf Darwin bezog sich auch der in Zürich tätige Psychiatrieprofessor August Forel (1848–1931), der psychische Störungen für grundsätzlich erblich bedingt und das Leben von psychisch Kranken und »erblichen Verbrechern« als nicht lebenswert erklärte. Die Einstellung, Behinderte am Leben zu erhalten, betrachtete er als »überkommene Moral«.[62] Wie sein Kollege August Forel, so vertrat auch der Freiburger Psychiatrieprofessor Alfred Hoche (1865–1943) Darwins Standpunkt, dass aus der Sicht der Natur das Leben des Individuums nichts,

59 Ludwig Büchner (1882).

60 Schallmeyer (1891).

61 Von Gruber: Vererbung, Auslese und Hygiene. Die Medizinische Wochenschrift 46/1909, S. 1993ff. und S. 2049ff.

62 Forel (1908, 1910); ders. (1910).

das Überleben der Art dagegen alles sei.[63] In einem gemeinsam mit dem Strafrechtler Karl Binding (1841–1920) im Jahre 1920 publizierten Buch über »Die Freigabe der Vernichtung lebensunwerten Lebens – Ihr Maß und ihre Form«[64] bedauerte er, dass die seinerzeit (noch) geltende Ethik die Tötung von Menschen, die aufgrund unheilbarer und schwerer geistiger Behinderungen »vollständig wertlos« seien, verbiete.

In den zwanziger Jahren waren Rasselehre und das Prinzip der Auslese schließlich in der obersten Ebene der akademischen Medizin angekommen: Die »Kaiser-Wilhelm-Gesellschaft« (ihre Nachfolgerin ist die »Max-Planck-Gesellschaft«) gründete 1927 in Berlin ein »Institut für Anthropologie, menschliche Erblehre und Eugenik«.[65] Erster Direktor wurde der Freiburger Anatomieprofessor Eugen Fischer (1874–1967). Gestützt auf Untersuchungen, die er im kolonialen Deutsch-Südwestafrika an den gemeinsamen Nachkommen deutscher Väter und afrikanischer Mütter durchgeführt hatte[66], betonte Fischer nicht nur die genetisch-biologischen und geistig-seelischen Unterschiede zwischen den menschlichen »Rassen«, sondern vor allem ihre unterschiedliche Wertigkeit. Die biologische Minderwertigkeit der schwarzen »Rasse« stellte er als ein wissenschaftlich gesichertes Faktum dar. Er betonte, dass die »minderwertigen« Rassen nur in einem Maße und nur so lange

[63] Hoche (1935).

[64] Binding und Hoche (1920).

[65] Siehe Schmuhl (2003).

[66] Fischer (1913).

Schutz erhalten sollten, wie sie den Weißen nützlich seien. Danach, so Fischer, sollte man sie dem Kampf ums Überleben überlassen, was seiner Meinung nach ihren Untergang bedeutete.[67] Einer von Fischers Schülern aus Freiburger Zeiten, der Mediziner Fritz Lenz (1887–1976), hatte bereits 1923 in München die erste in Deutschland eingerichtete Professur für Rassenhygiene erhalten.[68] Lenz forderte, der Einzelne habe sein ganzes Tun dem Wohl der »Rasse« unterzuordnen, und befürwortete unter anderem auch die Tötung behinderter Kinder.[69] Mit Erscheinen des »Grundrisses der menschlichen Erblichkeitslehre und Rassenhygiene« im Jahre 1923 ging das Denken von Fischer und Lenz in die medizinische Lehrbuchliteratur ein.[70] Erstaunlich ist, wie es unter Bezugnahme auf Darwin innerhalb weniger Jahrzehnte – ausgerechnet mit Hilfe der Medizin – gelingen konnte, die wesentlichen ethischen Grundlagen unseres Zusammenlebens auf den Kopf zu stellen und die Voraussetzungen dafür zu schaffen, dass sich ein verbrecherisches Regime, das mit dem Recht des Stärkeren, mit der Auslese »Minderwertiger« und mit dem Krieg der »Rassen« ernst

---

[67] Ibidem, S. 302.

[68] Ein weiterer Schüler Fischers, wenn auch kein Mediziner, war Hans Friedrich Karl Günther (1891–1968), der bei Fischer in Freiburg Vorlesungen gehört hatte. Günther prägte den Begriff der »Rassenschande« und erwarb sich aufgrund seiner zahlreichen, ab Anfang der zwanziger Jahre erschienenen Werke die Bezeichnung »Rasse-Günther«.

[69] Lenz (1933).

[70] Baur, Fischer, Lenz (1923). Erwin Baur (1875–1933) war studierter Mediziner, hatte später aber in Berlin einen Lehrstuhl für Botanik inne. Der »Baur-Fischer-Lenz« befand sich später in der Privatbibliothek Adolf Hitlers. Siehe auch Fangerau und Müller (2002).

machte, als wissenschaftlich und moralisch legitimiert darstellen konnte.[71] »Der Baur-Fischer-Lenz« blieb übrigens bis in die siebziger Jahre des 20. Jahrhunderts hinein ein Standardlehrbuch für Medizinstudenten.[72]

Darwin heute: Warum sein Modell untauglich ist

Die heute Lebenden haben das Glück, dass die beiden gigantischen Menschheitsexperimente – das eine auf der Basis des Denkens von Karl Marx, das andere auf der Grundlage des Darwinschen Denkens – vorläufig beendet sind, zumindest, was unseren europäischen Kulturkreis betrifft. Wir wissen nicht, wie wir selbst gedacht und gehandelt hätten, wenn wir in der durch beginnende Industrialisierung, medizinisches Elend, soziale Ausbeutung und gesellschaftliche Umwälzungen geprägten Zeit zwischen 1860 und 1930 gelebt hätten. Allerdings sollten uns Demut und Respekt vor den Problemen unserer Vorfahren sowie das Glück, dass wir ihre Not nicht erleben mussten, nicht davon abhalten, genau hinzusehen und zu analysieren, welche Irrtümer in der Vergangenheit zu Unheil beigetragen haben. Eine umfassende Würdigung von Darwins Werk würde den Rahmen dieses Buches

---

[71] Siehe dazu Richard Weikart (2004), S. 209–235. Siehe außerdem Schmuhl (2003).

[72] Nachfolger Eugen Fischers als Direktor des »Kaiser-Wilhelm-Instituts für Anthropologie, menschliche Erblehre und Eugenik« wurde 1941 Otmar von Verschuer (1896–1969). Einer von dessen medizinischen Doktoranden war der KZ-»Arzt« Josef Mengele. Otmar von Verschuer wurde 1951 nochmals Professor für Genetik an der Universität Münster.

sprengen.[73] Deswegen muss die Diskussion seiner Ideen auf die hier genannten Aspekte, die allerdings zu den folgenreichsten seines Werkes zählen, beschränkt bleiben. Manche Irrtümer der Vergangenheit haben eine erstaunliche Tendenz zur Wiederauferstehung, wie sich an den Gedanken Richards Dawkins' und seinen Ausführungen zum »egoistischen Gen« zeigt.[74]

Zu den Irrtümern, die sich bis heute gehalten haben, zählt Charles Darwins Grundannahme, die Evolution habe Konkurrenz, Kampf und Selektion zum zentralen Impetus lebender Systeme gemacht, und alles, was die lebende Natur entstehen lasse, müsse in diesem Rahmen gesehen werden. Diese Grundannahme beruht auf der unzulässigen Übertragung eines ökonomischen, auf Konkurrenzkampf und Profitstreben basierenden Denkens auf die belebte Natur. *Darwin sah die Evolution – ohne dies bewusst zu reflektieren – als eine Ansammlung von marktwirtschaftlichen Unternehmen, bei denen es ausschließlich darum geht, ob eingebrachte Investitionen zu Produkten führen, sie sich auf dem Markt gegen Konkurrenten behaupten, wobei der Konkurrenzkampf darüber entscheidet, welches Unternehmen sich auf dem Markt durchsetzen kann.* Man mag ökonomische Prinzipien an die Natur herantragen und sich, wie dies unter anderem Versicherungskonzerne tun, zum Beispiel genetischer Kennwerte bedienen, um die Wirtschaftlichkeit des eige-

---

[73] Eine Lektüre der beiden Hauptwerke Darwins zeigt vor allem, dass er ein begnadeter beschreibender Beobachter unzähliger Details der Pflanzen- und Tierwelt war.

[74] Siehe Kapitel 5.

nen Unternehmens zu steigern (auch wenn solche Vorgehensweisen erhebliche ethische Probleme aufwerfen und mehr als problematisch sind).[75] Ob die Natur selbst aber primär nach den Prinzipien eines Wirtschaftsunternehmens arbeitet, ist eine andere Frage. Sie ist zu verneinen. Wissenschaftler wie der amerikanische Anthropologe Jeffrey Schwartz und der britische Biologe Conway Morris sind heute der Meinung, dass Darwins Modelle wichtige Phänomene, die sich in der Natur beobachten lassen, entweder gar nicht oder nicht ausreichend erklären können. Zu den prominentesten Wissenschaftlern, die Darwins Modelle für unzureichend oder falsch halten, zählt eine der großen Biologinnen unserer Zeit, die Amerikanerin Lynn Margulis, die schrieb: »Terms like ›competition‹, ›cost‹, ›benefit‹ are meaningless in the context of biological science. Such terms belong to banks and on athletic fields.«[76] (Begriffe wie Wettstreit, Kosten, Nutzen sind im Zusammenhang mit wissenschaftlicher Biologie sinnlos. Solche Begriffe gehören zu Banken und auf den Sportplatz.)

---

[75] Große Versicherungsgesellschaften, vor allem im angloamerikanischen Raum, machen Abschlüsse mit Kunden inzwischen von deren genetischer Analyse abhängig. Siehe dazu David J. Galton et al. (1998).

[76] Lynn Margulis: Persönliche Korrespondenz mit dem Autor (14. August 2005). An anderer Stelle wies Margulis (2002, S. 32) darauf hin, dass in Darwins erstem Hauptwerk »Über die Entstehung der Arten« von 1859 Begriffe wie »Kooperation«, »Zugehörigkeit« oder »Gemeinschaft« überhaupt nicht auftauchen, während Worte wie »Zerstörung«, »Auslöschung«, »Tötung«, »Rasse« oder »Selektion« dutzend- bis hundertfach erscheinen.

Selbst dort, wo sich die Hinweise auf die primäre biologische Bedeutung von Kooperation geradezu aufdrängen, fühlen sich heute – mit Rücksicht auf die Darwinschen Dogmen – viele Wissenschaftler genötigt, dies nicht deutlich werden zu lassen. Dies sei an einem Beispiel demonstriert. Zu den eindrucksvollsten Beispielen für selbstlose Kooperation bei einzelligen Lebewesen zählt in der biologischen Forschung eine auf Waldböden lebende Amöbenart mit dem Namen Dictyostelium discoideum. Diese Amöben können alleine leben und ernähren sich von Bakterien.[77] Wenn Bakterien knapp werden, kann die Amöbe ein Signal aussenden, welches von anderen, in der Nähe lebenden Amöben erkannt wird[78], worauf sich zahlreiche Amöben langsam, aber sicher aufeinander zubewegen. Tausende, manchmal Hunderttausende der Amöben verkleben und bilden eine Art schleimige Schnecke, die sich ihrerseits einige Zentimeter weit bewegen kann. Die vormals selbstständigen Amöbenzellen innerhalb der Schnecke bilden in ihrem Inneren einen Fruchtkörper (in der Fachsprache wird er als »fruiting body« bezeichnet), der mit Sporen gefüllt ist, aus denen neue Amöbenzellen hervorgehen können. Das Geniale ist nun

[77] An dieser Stelle sei nochmals angemerkt, dass Räuberlebewesen und Beuteorganismen kein Beispiel für den Kampf ums Überleben sind, denn sie bilden ein verdecktes kooperatives System: Eine zu starke Dezimierung der Beute führt automatisch zu einer verminderten Fortpflanzung der Räuber, so dass sich das Gleichgewicht wieder einstellt.

[78] Der Signalstoff ist die chemische Verbindung cAMP (zyklisches Adenosinmonophosphat).

aber, dass zunächst etwa 20 Prozent der in der Schnecke lebenden Amöbenzellen »freiwillig«, das heißt selbst gesteuert, absterben, um mit ihren Zellresten einen etwa zwei Millimeter nach oben gehenden Stiel zu bilden (zwei Millimeter sind aus der Perspektive einer Amöbe ein Hochhaus der Superklasse). Die lebenden Amöben innerhalb der Schnecke wandern nun auf diesen Stiel hinauf und haben dort eine optimale Chance, durch vorbeilaufende Käfer, Würmer und ähnliche Waldbodenbewohner gestreift zu werden und so ihre Sporen auf die Reise zu schicken. Die 20 Prozent der Zellen, die zwecks Bildung des Stiels »freiwillig« abgestorben sind, hatten also eine ganz besonders markante Form von Kooperation gezeigt. Beispiele von Kooperation wie dieses stellen Forscher aus der Denkschule des Darwinismus und der aus ihm hervorgegangenen Soziobiologie vor schwierige Probleme.

Eine sehr beliebte Argumentation in solchen Fällen lautet, dass sich das Lebewesen der Kooperation nur bediene, um mit Hilfe der eigenen Verwandten die eigenen Gene zu vermehren und damit gegen die Gene nichtverwandter Artgenossen – in einer Art »gedachtem« Kampf – durchzusetzen (dies wird als »kin selection«, als Kampf für die eigene Verwandtschaft, bezeichnet).[79] Das »Problem« für Darwinisten, konfrontiert mit der oben erwähnten Amöbe, besteht darin, dass es den Amöben völlig etal ist, ob die anderen, mit denen sie die »Schnecke« bilden, aus ihrer näheren genetischen Verwandtschaft stammen oder nicht. Daher musste ein neues Argument herbeigeschafft werden: Es wurde untersucht,

[79] Siehe Kapitel 5.

ob die Amöben innerhalb der von ihnen gebildeten Schnecke nicht doch einen geheimen Kampf austragen, indem sie versuchen, nicht in die Gruppe derjenigen Zellen zu geraten, die »freiwillig« absterben, um den Stiel zu bilden. Die Überlegung war jetzt, ob sich unter den 20 Prozent der Opferzellen einige miteinander etwas näher verwandte Amöben finden lassen, die aufgrund ihrer »schlechteren« Gene von den anderen sozusagen ins Himmelfahrtskommando abgeschoben werden. Tatsächlich fand eine Forschergruppe, allerdings nur in sechs von zwölf (!) untersuchten Schnecken, schwache Hinweise in dieser Richtung. Obwohl der Befund alles andere als überzeugend war, wurde er als Beleg für die Konkurrenztheorie vermeldet.[80] Derart unseriöse Schlussfolgerungen hätten im normalen Wissenschaftsbetrieb keine Chance; zur Begründung darwinistischer Dogmen aber scheinen sie erlaubt zu sein.

Interessant ist, wie sich manche Autoren wissenschaftlicher Arbeiten, in denen zum Teil äußerst eindrucksvolle kooperative Phänomene beschrieben werden, bei der Erläuterung ihrer Daten mit zum Teil abenteuerlichen Erklärungen bemühen (müssen), Darwins These zu »retten«, der zufolge der Konkurrenzkampf das grundlegende Prinzip biologischer Systeme sei. Unter angloamerikanischen Forschern gilt es als Sakrileg, Darwins Theorie des »struggle for life« in Frage zu stellen. Da die meisten Gutachter von hochrangigen internationalen Wissenschaftsjournalen auf solche Zweifel ungnädig reagieren, gehört es bei allen wissenschaftlichen Publikatio-

---

[80] Strassmann und Queller (2004).

nen derzeit zum guten Ton, die eigenen Daten im Sinne der Darwinschen Theorie des »survival of the fittest« zu interpretieren. Darwinistisches Denken ist zu einer Form von »scientific correctness« geworden. Dies erscheint vor dem Hintergrund der geschilderten Fehlentwicklungen, die sich in den Wissenschaften – vor allem in der Medizin – aus Darwins Denken ergeben haben, als bedenklich. Warum muss alles, was an wissenschaftlichen Daten vorgelegt wird, in die darwinistische Denkschablone eingepasst werden?

Das »Gravitationsgesetz lebender Systeme«: Zugewandtheit, Spiegelung und Resonanz

Darwins Modell übersieht die grundlegende Bedeutung des am Anfang aller Biologie stehenden Phänomens der Kooperation. Für Darwin waren Kooperation und Altruismus (selbstloses Handeln) Verhaltensweisen, die sich nur entwickeln konnten, weil sie im Dienste des Kampfes ums Überleben standen. Diese Sehweise ist kaum haltbar. Wissenschaftliche Daten, die nahe legen oder gar beweisen würden, dass das Prinzip der Konkurrenz bereits beim Entstehen des Lebens auf der Erde eine maßgebliche Rolle gespielt haben könnte, sind nicht vorhanden, im Gegenteil.[81] Früheste biologische Strukturen waren, soweit es sich aus heutiger Sicht rekonstruieren lässt, in der Tiefe des Urmeeres entstandene kleine Gruppen von Molekülen, bei denen es sich vermutlich um Verbindungen

---

[81] Siehe Kapitel 5.

zwischen der Erbsubstanz RNA (Ribonukleinsäure) und Eiweißen (Proteinen) handelte.[82]

Über die Theorien der Soziobiologie fand Darwins Denken auch in die moderne Molekularbiologie Eingang. Die soziobiologische Vorstellung eines »egoistischen Gens«, auf die im folgenden Kapitel eingegangen wird, konnte nur von Personen entwickelt werden, die niemals selbst direkt an Genen gearbeitet haben. Das Geheimnis der Vermehrung von Lebewesen ist die Verdoppelung von Erbsubstanz DNA (Desoxyribonukleinsäure). Eine solche Verdoppelung aus sich selbst heraus ist nicht möglich, sie ist ein in höchstem Maße kooperativer Prozess. Die Replikation (Selbstkopie) von DNA ist undenkbar ohne Helfermoleküle[83], die mit der Erbsubstanz eine kooperierende Einheit bilden. Aber auch jenseits der Gene stellen kooperative Mechanismen die Grundlage allen Lebens dar. Das Leben einer Zelle könnte nicht funktionieren ohne ein kooperierendes Zusammenwirken der Erbsubstanz, der sie umgebenden Eiweißstoffe (Proteine), der in der Zelle vorhandenen Organellen (Untereinheiten der Zelle mit besonderen Funktionen) und der die Zelle begrenzenden Membranen. Allein durch Darwins Prinzipien der Variation und Selektion lässt sich weder die Entstehung der Zelle noch die Bildung mehrzelliger Lebewesen, noch die Entwicklung höherer (komplexer) Lebensformen aus einfacheren Vorstufen erklären. Alle drei

---

[82] Überblick bei Garry Hamilton (2005). Siehe auch Poole et al. (2001); Penny et al. (2003); Di Giulio (2004, 2005 und im Druck); Poole und Logan (2005).

[83] Bei diesen Molekülen handelt es sich unter anderem um Helikasen, Polymerasen und Terminasen.

Phänomene hätten ohne *Kooperation als primärem, eigenständigem biologischem Prozess* nicht zustande kommen können.[84]

Aufgrund der durch ihn verursachten Einengung des Denkens ist der Darwinismus mittlerweile zu einer Art Albtraum geworden, von dem wir uns befreien sollten. Das große Rätsel der Biologie ist, warum anorganische (nichtlebende) Moleküle einst eine Tendenz zur Bildung lebender Urstrukturen hatten und wie sich aus einfachen biologischen Systemen höhere (komplexe) Systeme, Lebewesen, entwickeln konnten. Diese Fragen sind mit Darwins Prinzipien der Variation und Selektion und dem von ihm ins Zentrum gestellten Kampf ums Dasein nicht zu beantworten. *Nicht der Kampf ums Dasein, sondern Kooperation, Zugewandtheit, Spiegelung und Resonanz sind das Gravitationsgesetz biologischer Systeme.*[85] Im Zentrum der Biologie stehen wechselseitige Beziehung

---

[84] Eines der eindrucksvollsten Beispiele für den zentralen Stellenwert der Kooperation im Verlauf der Evolution ist das in Kapitel 5 dargelegte, von Lynn Margulis entdeckte Phänomen der Endosymbiose. Weitere Untersuchungen zeigen, dass bereits Einzeller, unter anderem auch Bakterien, kooperieren (siehe zum Beispiel Pfeiffer et al., 2001; Gregory Velicer und Yuen-tsu Yu, 2003; Jan-Ulrich Kreft und Sebastian Bonhoeffer, 2005).

[85] Ich habe diesen Gedanken bereits an früherer Stelle anklingen lassen (Joachim Bauer: Warum ich fühle, was du fühlst, 2005, S. 165ff.). Wie ich in der Zwischenzeit feststellte, hat sich der Biochemiker Professor Friedrich Cramer, ehemals Direktor des Max-Planck-Instituts für Experimentelle Medizin in Göttingen, in einem 1996 erschienenen Buch in ähnlichem Sinne geäußert, worauf mich dankenswerterweise im Frühjahr 2005 Rolf Verres, Professor für Medizinische Psychologie in Heidelberg, aufmerksam gemacht hat, der den wissenschaftlichen Nachlass Friedrich Cramers verwaltet.

und Kooperation.[86] Auf der Ebene der Moleküle entspräche dies der Passung zwischen Molekülen, wie sie sich zwischen den beiden Strängen der DNA oder zwischen einem Bindungsmolekül (Ligand) und seinem Rezeptor ereignet. Auf der Ebene der Zellen kommen Zugewandtheit, Spiegelung und Resonanz im Signalaustausch zwischen Einzelzellen, aber auch in der Fähigkeit von Zellen zum Ausdruck, mehrzellige Lebewesen (und in Organismen Organe) zu bilden. Auf der Ebene höherer Lebewesen werden Zugewandtheit, Spiegelung und Resonanz über die Sinnesorgane vermittelt und durch koordinierte, aufeinander abgestimmte Verhaltensweisen zum Ausdruck gebracht.

[86] Den Aspekt der Beziehung als biologisches Grundprinzip formulierte als einer der Ersten der Biologe Jakob von Uexküll (1864–1944; von Uexküll, 1928, 1940), der jedoch leider 1933 auch ein nationalistisches und antidemokratisch argumentierendes Buch namens »Staatsbiologie« veröffentlichte; siehe Uexküll (1928, 1940).

5. Soziobiologische Science-Fiction oder: Warum Gene nicht egoistisch sind

Gene sind weder Diktatoren noch autistische Eigenbrötler. Gene empfangen Signale und reagieren auf sie, sie kommunizieren also mit der Umwelt. Sie steuern nicht nur, sie werden auch gesteuert. *Sie sind die »großen Kommunikatoren« unseres Körpers.* Dessen ungeachtet sind Vorstellungen zu populären Überzeugungen geworden, denen zufolge Gene im Organismus uneingeschränkt schalten und walten können. Mehr noch: Eine heute in wissenschaftlichen Kreisen weit verbreitete, wenn nicht dominierende Meinung ist, dass sie die eigentlichen Akteure der biologischen Weltgeschichte sind. Diese Sicht soll, auf der Basis wissenschaftlicher Erkenntnisse, nachfolgend einer kritischen Betrachtung unterzogen werden.

Gene gleichen einem Konzertflügel. Um ein Klavierkonzert aufzuführen, bedarf es eines Konzertflügels. Er macht allerdings selbst dann, wenn er vom weltbesten Instrumentenbauer stammt, allein keine Musik. Er muss bespielt werden und bedarf, falls ein Klavierkonzert aufgeführt werden soll, nicht nur eines Pianisten, sondern auch eines Orchesters. Nicht anders verhält es sich mit den Genen: Um das Gen in Funktion zu bringen, sind viele Biomoleküle nötig, welche die Pianistenfunktion innehaben und bestimmen, was gespielt werden soll. Sie versetzen das Gen in einer Weise in Aktion, die mit dem biologischen Orchester drum herum abgestimmt sein muss. Die Dirigentenfunktion hat der Gesamtorganismus inne, der – in Abstimmung mit der ihn umgebenden Welt – eine große Zahl von Signalstoffen herstellt, die von außen auf das Gen und seine Mitspieler einwirken. Im Gegensatz zu dieser Situation hat sich bei vielen Menschen die Meinung festgesetzt, Gene konzertierten sozusagen allein oder hätten die Macht, den Organismus nach ihren Befehlen tanzen zu lassen. Diese Vorstellung ist ebenso abwegig wie der Gedanke, ein Klavierkonzert könnte unter der Regie eines Steinway-Flügels stattfinden. Kein Konzertpublikum käme auf die Idee, nach dem Konzert dem Flügel zu applaudieren. Eine solch absurde Situation scheint sich aber dort eingestellt zu haben, wo manche Leute heute über die Gene reden.

Nachfolgend soll die Arbeitsweise der Gene in einer Weise erklärt werden, die – so ist zu hoffen – auch von Nichtfachleuten gut verstanden werden kann. Dabei sollen neueste Erkenntnisse mit einbezogen werden. Tatsächlich reagieren Gene in einem Ausmaß auf die Umwelt, wie dies bis vor wenigen Jahren noch unvorstellbar war. Dass Gene in ihrer Aktivität fortlaufend reguliert werden, ist bereits seit einigen Jahren bekannt.[1] Erst vor kurzem hat sich zudem gezeigt, dass Umwelterfahrungen einen nachhaltigen, das heißt *überdauernden* Einfluss darauf haben können, ob, und wenn ja, wie stark ein Gen überhaupt abgelesen wird. Dieses neue, als *Epigenetik*

---

[1] Übersicht siehe Joachim Bauer: Das Gedächtnis des Körpers (2004).

bezeichnete Gebiet macht den überragenden Einfluss der Umwelt auf die Gene in einer ungeheuer erweiterten Dimension deutlich. Die Epigenetik erklärt nicht nur vieles, was im Bereich körperlicher, psychischer und psychosomatischer Störungen zu beobachten ist, zum Beispiel Fragen, die das Risiko betreffen, eine Depression zu erleiden. Die Epigenetik ist derzeit auch dabei, zur Aufklärung wichtiger Volkskrankheiten und mancher Formen von Krebserkrankungen beizutragen. Fest steht, gesichert durch eine reiche Zahl von exzellenten Studien: Gene unterliegen einem außerordentlich weit gehenden Maß an Steuerung. Nichts spricht dafür, dass Gene »kämpfen«, nichts deutet darauf hin, dass sie uns zu Kampfmaschinen machen. Dass Gene um die Vorherrschaft in der Biosphäre »kämpfen« und Lebewesen diesem Kampf dienen, ist jedoch das zentrale Dogma der Soziobiologie, der heute im Wissenschaftsbereich vorherrschenden Denkschule. Wie Gene wirklich arbeiten, soll nachfolgend geschildert werden. Dies macht jedoch zunächst eine etwas tiefer gehende Auseinandersetzung mit dem Bild nötig, das die Soziobiologie von den Genen gezeichnet hat.

»Das egoistische Gen«: Wenn Science-Fiction zu Science wird

Die in der öffentlichen Wahrnehmung bis heute vorherrschenden Ansichten über die Gene wurden von einigen wenigen Biologen geprägt. Sie entwarfen in den siebziger Jahren des letzten Jahrhunderts eine Theorie, die sie

Soziobiologie nannten.[2] Keiner der Begründer der Soziobiologie hatte selbst direkt an Genen geforscht. Dies erklärt den teilweise bizarren Charakter der Ansichten, die von Soziobiologen über Gene verbreitet wurden. Erstaunlicherweise tat dies der Popularität der Soziobiologie keinen Abbruch. Das meistgelesene Werk der Soziobiologie bis heute ist ein Buch, das der in Oxford lehrende Zoologe Richard Dawkins im Jahre 1976 publizierte: »The Selfish Gene«, in der deutschen Ausgabe »Das egoistische Gen«. Maßgebliche Meinungsbildner innerhalb und außerhalb der Wissenschaft vertreten heute, was die Gene betrifft, die Ansichten der Soziobiologie. Viele Menschen, die nichts über Gene wissen und sich gern einmal bei einem Experten informieren möchten, bedienen sich bis heute dieses Buches als wichtige Referenz. Daher ist es unumgänglich, sich vor einer Beschreibung der Arbeitsweise der Gene kurz mit ihm auseinander zu setzen.

Das Hauptmerkmal des Werkes ist, dass es zu den Genen umfangreiche und weit reichende Theorien, dazu aber keine auf wissenschaftlichen Untersuchungen basierenden konkreten Daten präsentiert. Anstatt den Leser in die heute weitgehend aufgeklärten, zentral wichtigen Fragen der Kommunikation zwischen genetischem Apparat und Umwelt einzuführen, beschränkt sich das Buch bei diesem Punkt auf die Aussage: »Zwischen den Genen untereinander wie auch zwischen den Genen und ihrer äußeren Umwelt findet auf unentwirrbar komplizierte Weise

[2] Zu den Begründern der Soziobiologie gehören der Amerikaner Edward Osborne Wilson (geb. 1929) sowie die Briten William D. Hamilton (1936–2000) und Richard Dawkins (geb. 1941).

eine Zusammenarbeit und wechselseitige Beeinflussung statt.«[3] Während Dawkins diesen bedeutsamen, inzwischen weitgehend aufgeklärten Bereich auch in den neueren Auflagen des Werkes als »unentwirrbar kompliziert« darstellt, entwirft er von der Welt der Gene ein detailreiches Szenario, das der Einführungstext des Verlags, der das Buch 1996 als deutsches Taschenbuch auf den Markt brachte, nicht ohne Grund als »verblüffend und schockierend« bezeichnet hat. Dawkins selbst schrieb im Vorwort zur ersten Auflage: »Dieses Buch sollte beinahe wie Science-fiction gelesen werden, denn es zielt darauf ab, die Vorstellungskraft anzusprechen.«[4] Nichtsdestoweniger »hat seine zentrale Botschaft Eingang in die meisten Lehrbücher gefunden«, wie der Autor zehn Jahre später im Vorwort der zweiten Auflage schrieb.[5] Aus Science-Fiction wurde also in der Tat Science, ein bemerkenswerter Vorgang, nicht ganz unähnlich demjenigen, wie er sich bereits zwischen 1860 und 1930 abgespielt hat.[6]

Du bist nichts, dein Gen ist alles

Die wirklichen Akteure der Evolution, so das Szenario bei Richard Dawkins, sind nicht Lebewesen, sondern die Gene. Lebewesen sind aus soziobiologischer Sicht nichts anderes als von den Genen zum Zwecke ihrer eigenen

[3] Dawkins (1976), deutsche Taschenbuchausgabe von 1996, S. 75.
[4] Ibidem, S. 18.
[5] Ibidem, S. 12.
[6] Siehe Kapitel 4.

maximalen Vermehrung gebaute »Überlebensmaschinen« (so wörtlich).[7] Nach dieser Theorie besteht der Lauf der Evolution darin, dass Gene Lebewesen sozusagen auf eine Zeitreise durch die Erdgeschichte schicken, um mit Hilfe dieser Organismen einen Kampf der Gene um die Vorherrschaft in der Biosphäre auszutragen. Die Geschichte des Lebens auf der Erde beginnt in der Soziobiologie mit einem Gen, das sich in der Ursuppe des Weltmeeres gebildet und den einzigen Wunsch gehabt habe, sich maximal zu vermehren. Bei Dawkins können die Gene dies ganz allein. Die Tatsache, dass sie sich ohne fremde Hilfe gar nicht vermehren können, dass also bereits am Beginn des Lebens eine ganze Reihe von Helfermolekülen vorhanden gewesen sein müssen, wird ausgeblendet, und zwar aus gutem Grund: Dies hätte nämlich bedeutet, darüber nachzudenken, dass bereits am Beginn des Lebens die *Kooperation* von Molekülen gestanden haben muss. Das allerdings hätte das gesamte weitere Szenario gestört. Beim Selbstvermehrungsprozess der »Replikatoren«, wie Dawkins die Vorläufer der Gene nennt, entstanden früh Varianten von Genen (eine solche Variation ist eine realistische, in der Genetik durch empirische Beobachtungen bestätigte Annahme). Doch was sich nach den Vorstellungen der Soziobiologie jetzt abspielt und den gesamten Evolutionsprozess kennzeichnet, steht nur noch unter einem Vorzeichen: »Verschiedene Varianten müssen um

[7] Dieser und andere zentrale Begriffe sind, ebenso wie auch alles Weitere, keine Scherze oder Karikaturen, sondern geben die Begriffe und Gedanken von Dawkins wieder, die er bis heute allen Ernstes vertritt. Zu der von ihm mehrfach gebrauchten Bezeichnung von Lebewesen als »Überlebensmaschinen« der Gene siehe unter anderem Dawkins (1996), S. 51 und 73.

sie [gemeint sind die Bausteine für die Herstellung von Kopien] konkurriert haben.« Und dies bedeutete: »Unter den Replikatorvarianten spielte sich der Kampf ums Dasein ab.«[8] Die Entwicklung von lebensfähigen kleinen Strukturen am Anfang der Evolution ist bei Dawkins nicht das Ergebnis eines kooperativen Zusammenwirkens von Biomolekülen, sondern das Ergebnis des Kampfes, dessen Methoden nun »komplizierter und wirkungsvoller« wurden: Replikatoren bzw. Gene kämpften, »indem sie eine Proteinwand um sich herum aufbauten. Auf diese Weise mögen die ersten Zellen entstanden sein.« Zellen, die Grundeinheit von Lebewesen[9], sind bei Dawkins von Genen gebaute «Überlebensmaschinen«, womit Maschinen zum Überleben *der Gene* gemeint sind.

Die Ausblendung der Kooperation bei der Entwicklung von komplexen biologischen Systemen

Wie sich aus einfachen lebenden Systemen wie einzelligen Organismen »höhere« Lebewesen, also komplexe biologische Systeme, entwickelt haben, ist eine wissenschaftlich intensiv bearbeitete Frage. Weitgehende Einig-

---

[8] Ibidem, S. 50.

[9] Zu »Lebewesen« sind auch nichtzelluläre Stukturen wie zum Beispiel Viren zu zählen, die nur aus Erbsubstanz (DNA oder RNA) und Eiweißen (Proteinen) bestehen. Diese können sich allerdings nur in zellulären Strukturen vermehren (auch hier geht es nicht ohne Kooperation). Wie sich erdgeschichtlich frühe Partikel aus Erbsubstanz vermehrt haben, ist eine in der Forschung intensiv bearbeitete, aber noch nicht völlig geklärte Frage. Klar ist lediglich, dass DNA oder RNA sich nicht allein vermehren kann. Ohne Kooperation mit anderen Biomolekülen ist dies biochemisch nicht möglich.

keit besteht heute darin, dass diese Entwicklung allein auf der Basis der von Darwin formulierten Prinzipien – Variation, Selektion und Kampf ums Dasein – nicht möglich gewesen wäre. Renommierte Wissenschaftler[10] sind der Meinung, dass der im Verlauf der Evolution entstandene Zuwachs an Komplexität, das heißt die Entwicklung von einfachen zu höher stehenden Lebewesen, nur stattfinden konnte, weil kooperative Vorgänge eine *zentrale, primäre* Rolle spielten. Dieser Umstand wurde und wird in der Soziobiologie ausgeblendet. Aus der Sicht der Soziobiologie sind kooperative Mechanismen lediglich ein sekundäres, dem Überlebenskampf dienendes Phänomen. Die Entwicklung von Einzellern (dem Urtyp der »Überlebensmaschine«) zu höheren Lebewesen bleibt bei Dawkins daher völlig unklar: »Die Überlebensmaschinen wurden größer und perfekter, und der Vorgang war kumulativ und progressiv.«[11] Nachdem er sich so mit einem einzigen Satz an einer der Kernfragen der Evolution und an hunderten Millionen von Jahren vorbeigemogelt hat, landet er direkt bei den höheren Lebewesen. Hier allerdings weiß er sogleich wieder, worum es geht: Auch höhere Lebewesen – inzwischen ist der Mensch mit eingeschlossen – dienen dem ausschließlichen Zweck, »Container« für die Ausbreitung von Genen zu sein: »Wir sind alle Überlebensmaschinen für dieselbe Art von Replika-

---

[10] Hierzu zählen unter anderem die US-Biologin Lynn Margulis, der US-Anthropologe Jeffrey Schwartz, der britische Biologe Simon Conway Morris, der Physik-Nobelpreisträger Murray Gell-Man und in Deutschland zum Beispiel der Freiburger Biologe Carsten Bresch. Siehe dazu auch Siegfried Scherer und Reinhard Junker (2003).

[11] Dawkins (1996), S. 50f.

tor, für Moleküle mit dem Namen DNA.« Nun erklärt uns die Soziobiologie, warum es auf der Erde unterschiedliche Arten von Lebewesen gibt: »Auf der Welt sind vielerlei Lebensweisen möglich, und die Replikatoren haben ein breites Spektrum von Maschinen gebaut, um sie sich alle zunutze zu machen.« Was Dawkins damit meint, wird unmittelbar im Anschluss erklärt: *»Ein Affe ist eine Maschine, die für den Fortbestand von Genen auf Bäumen verantwortlich ist, ein Fisch ist eine Maschine, die Gene im Wasser fortbestehen läßt, und es gibt sogar einen kleinen Wurm, der für den Fortbestand von Genen in deutschen Bierdeckeln sorgt.«*[12] (Kursiviert von J. B.) Beunruhigend ist es, zu wissen, dass eine solche Sicht auf die Biologie, wie aus dem Vorwort des Autors zu erfahren ist, inzwischen Eingang in Lehrbücher gefunden hat. Tatsächlich werden diese ideologischen, durch nichts bewiesenen Thesen der Soziobiologie inzwischen auch in Schulbüchern verbreitet.

»Das Gen ist die Grundlage des Eigennutzes«

»Das Gen« – dies ist die zentrale, in keiner Weise bewiesene und im Übrigen auch nicht beweisbare These der Soziobiologie – »ist die Grundlage des Eigennutzes.« Gene, so die Vorstellung der Soziobiologen, stehen auch innerhalb des Körpers gegeneinander in Konkurrenz. »Auf der Ebene des Gens muß Altruismus schlecht und Egoismus gut sein.« Aus diesem Grund stünden auch die

[12] Ibidem, S. 52.

Zweifachkopien eines jeden Gens (die so genannten Allele), wie sie sich in den Zellen aller Tiere sowie des Menschen finden, *gegeneinander* in Konkurrenz: »Jedes Gen, welches sich so verhält, daß es seine eigene Überlebenschance im Genpool auf Kosten seiner Allele vergrößert, wird definitionsgemäß dazu neigen zu überleben.«[13] Spätestens bei dieser Gen-Ideologie ahnen wir, was wir zweihundert Seiten später lesen, nämlich dass Dawkins ein »enthusiastischer Anhänger der Darwinschen Lehre«, »ein begeisterter Darwinist« sei.[14] Daher überrascht es auch nicht, dass der Kampf ums Dasein auch den »Krieg der Geschlechter«[15] einbezieht. Männliche Samenzellen seien »arglistig« und »ausbeuterisch«, da sie nur »kleine Investitionen« realisieren würden (dass der Weg, den sie zurücklegen, gemessen an ihrer Größe einer Reise zum Mond gleichkommt, also tatsächlich eine enorme »Investition« darstellt, bleibt unerwähnt, da es das schöne Bild nur stören könnte). Weibliche Eizellen sind bei Dawkins »aufrichtig« und »ehrlich«. »Da eine Mutter bereits ganz zu Anfang – in Form eines großen nahrhaften Eies – mehr als das Männchen investiert, ist sie schon zum Zeitpunkt der Empfängnis jedem Kind tiefer verbunden als der Vater.«[16]

Wie schon Darwin, so interpretiert auch die Soziobiologie die belebte Natur quasi als ein marktradikales System von Wirtschaftsunternehmen. Das biologische Ver-

---

[13] Ibidem, S. 75 (auch die vorherstehenden Zitate sind hier zu finden).
[14] Ibidem, S. 306f.
[15] Ibidem, S. 231ff.
[16] Ibidem, S. 240.

hältnis der beiden Geschlechter, so führt Dawkins aus, entspreche dem von Geschäftsleuten.[17] Gelegentlich kommen sich die Argumente allerdings heftig gegenseitig ins Gehege: Auf der einen Seite begründet Dawkins den Zusammenhalt zwischen Verwandten mit der Tatsache, dass »Gene ihre Kopien in anderen Körpern erkennen«[18] – weiß Gott keine leichte Aufgabe angesichts der Tatsache, dass die Gene innerhalb der Menschheit zu über 99 Prozent identisch sind! Auf der anderen Seite lesen wir an anderer Stelle ausführliche Erläuterungen zum »Krieg der Generationen«[19], also gerade zwischen denen, die sich aufgrund ihrer gemeinsamen Gene doch gewogen sein sollten. »Mit Hilfe unseres Bildes vom einzelnen Tier als einer Überlebensmaschine, die sich so verhält, als ›beabsichtige‹ sie, den Fortbestand ihrer Gene zu sichern, können wir von einem Konflikt zwischen Eltern und Kindern sprechen, einem Krieg der Generationen. Dieser Kampf ist eine subtile Angelegenheit, und auf beiden Seiten sind alle Griffe erlaubt. Das Kind wird vorgeben, hungriger zu sein, als es ist, vielleicht jünger, als es ist, und gefährdeter, als es in Wirklichkeit ist … Es wird lügen, betrügen, täuschen, ausbeuten …«[20] Dies muss der selbst ernannte Psychologe und Kinderforscher Richard Dawkins an Kindern beobachtet haben, die keine Mög-

[17] Ibidem, S. 246f.

[18] Ibidem, S. 156. Noch einmal der Hinweis, dass die von Darwinisten und Soziobiologen behauptete abgemilderte Konkurrenz zwischen Lebewesen auf der Basis ähnlicher Gene als »kin selection« (Selektion unter Berücksichtigung der Verwandtschaft) bezeichnet wird.

[19] Ibidem, S. 206ff.

[20] Ibidem, S. 218.

lichkeit hatten, gute Bindungserfahrungen zu machen.[21] Doch die Soziobiologie hat dafür eine bessere Erklärung: »Die Gene in den Körpern von Kindern werden auf Grund ihrer Fähigkeit selektiert, Elternkörper zu überlisten; Gene in Elternkörpern werden umgekehrt auf Grund ihrer Fähigkeit selektiert, die Jungen zu überlisten.«[22] Keineswegs halte er persönlich ein derart betrügerisches Verhalten von Kindern für gut, erfahren wir von Dawkins zu unserer Tröstung, er wolle nur sagen, »daß die natürliche Auslese tendenziell Kinder begünstigen wird, die so handeln«, und »daß Gene, die Kinder zum Betrug veranlassen, einen Vorteil im Genpool erringen werden«.[23] Diese Statements sind mit der Wirklichkeit schwer in Einklang zu bringen. Nur Kinder, die aus traumatisierenden Verhältnissen kommen, zeigen solche Strategien. Für Kinder, die in normalen Verhältnissen aufwachsen und durchschnittlich gute Bindungserfahrungen machen konnten, dürfte das von der Soziobiologie geschilderte Verhalten im Übrigen kaum zu irgendeiner Art von Erfolg führen, weshalb unklar ist, warum sich aus Lügen und Betrügen auch noch ein Selektionsvorteil ergeben sollte.

---

[21] Siehe dazu meine Ausführungen zum Thema Aggression in Kapitel 3.
[22] Ibidem, S. 227.
[23] Ibidem, S. 230.

Sexuelle Fortpflanzung als »Problem« der Soziobiologie

Zu den ungelösten Problemen der soziobiologischen Theorien gehört die Frage, wie die Evolution, die – über einen extrem langen Zeitraum hinweg – ausschließlich nichtsexuelle Formen der Fortpflanzung kannte, das Phänomen der Sexualität »zulassen« konnte. Sexuelle Fortpflanzungsformen, insbesondere, wenn sie mit Brutpflege und Aufzucht verbunden sind, erfordern ungewöhnlich hohe »Investitionen«. Unter dem Aspekt der maximalen Verbreitung der eigenen Gene wären nichtsexuelle Fortpflanzungsstrategien weitaus effizienter.[24] Soziobiologische Wissenschaftler haben dies klar erkannt und zerbrechen sich in entsprechenden Studien darüber auch den Kopf.[25] Dass die Sexualität – aus der Sicht der Soziobiologie – von vornherein eine eigentlich völlig »unrentable« Einrichtung ist, hindert gestandene Soziobiologen nicht daran, Fragen der Beziehung zwischen den Geschlechtern weiterhin mit den alten Kriterien zu bewerten. Findet zum Beispiel irgendeine verhaltensbiologische Studie heraus, dass Frauen bei Männern als Erstes auf bestimmte kör-

[24] Siehe Axelrod (1997), S. 11–12. Wie viele andere, so verwies auch Lynn Margulis (1991, S. 179 und 180) mit Recht auf die Tatsache, daß die Sexualität aufgrund ihrer hohen biologischen »Kosten« keine evolutionären Vorteile im Sinne Darwins bzw. im Sinne der Soziobiologie mit sich bringt.

[25] Dieser Erklärungsnotstand hat den Soziobiologen William Hamilton (1990) zu der reichlich phantasievollen, durch keinerlei biologische Fakten begründeten Theorie veranlasst, die Natur habe die Sexualität entstehen lassen, weil Sexualität zu einem verbesserten Schutz gegenüber Parasiten (!) geführt habe.

perliche Charakteristika achten, dann beteuern Autoren und Kommentatoren geflissentlich, Frauen täten dies – unbewusst – selbstverständlich nur, um den genetisch besten Samenspender auszusuchen. Männer, auch das kann man in wissenschaftlichen Arbeiten und den Medizinseiten der Tagespresse lesen, zeigen bestimmte Verhaltensweisen nur, weil sie – dem behaupteten unbewussten Impetus ihrer Biologie folgend – ihre Gene maximal über den Erdball verbreiten wollen. Soziobiologische Denkreflexe dieser Art dienen nicht zuletzt auch dazu, lieb gewordene gesellschaftliche Rollenbilder wissenschaftlich zu verbrämen und dadurch zu befestigen.[26]

Der gefährliche Wohlfahrtsstaat: Ein soziobiologisches »Gen für Unmäßigkeit«

Dawkins und andere Soziobiologen sind sich sicher, dass einzelne Gene auch das konkrete Verhalten steuern. Obwohl zahlreiche Tierarten sich durch extreme Langsamkeit und phlegmatisches Verhalten auszeichnen, lesen wir: »Tiere sind zu aktiven, draufgängerischen Genvehikeln geworden.«[27] Dawkins bezieht die Verhaltenssteuerung durch Gene aber nicht nur auf Eigenschaften des allgemeinen Temperaments (dieser Aussage könnte man noch zustimmen), sondern sieht sie durchaus spezifisch: In einer sehr merkwürdigen Passage über den Wohl-

---

[26] Siehe dazu auch die Ausführungen zur »scientific correctness« am Ende von Kapitel 4.

[27] Dawkins (1996), S. 92.

fahrtsstaat lesen wir, dass es ein »Gen für Unmäßigkeit« gebe, das Personen – allerdings nur im Wohlfahrtsstaat – dazu veranlasse, sich unkontrolliert fortzupflanzen. Unter natürlichen Bedingungen, also wenn es keinen Wohlfahrtsstaat gäbe, würde »jedes Gen für Unmäßigkeit ... prompt bestraft«, weil »die mit diesem Gen ausgestatteten Kinder verhungern«.[28] Der Wohlfahrtsstaat aber, der nach Dawkins »eine sehr unnatürliche Sache« sei[29], fördere, dass »Menschen mehr Kinder bekommen, als sie versorgen können«[30], er lasse zu, dass das »Gen für Unmäßigkeit« sich durchsetze. Wie gut, dass uns statt der von Dawkins bekämpften religiösen Moralapostel[31] nunmehr Moralapostel der Soziobiologie sagen, wie wir uns moralisch zu verhalten haben!

---

[28] Ibidem, S. 197.

[29] Bereits Darwin war, wie auch alle seine späteren Anhänger bis hin zu Dawkins, der Ansicht, der Wohlfahrtsstaat sei »unnatürlich«, ein wirtschaftsliberales Regime dagegen »natürlich«. Die Begründung ist unklar und nur durch Ideologie zu erklären. Immerhin sind soziale Gemeinschaften innerhalb der Menschheit (und im Tierreich) ein nachweisbar uraltes, durchaus »natürlich« entstandenes Phänomen. Der Wohlfahrtsstaat der Moderne hat sich aus früheren natürlichen Gemeinschaften entwickelt. Dessen ungeachtet ist sicher richtig, dass man es mit der Wohlfahrt auch übertreiben und damit in erheblichem Umfang Missbrauch ermöglichen kann. Dagegen kann und sollte man vorgehen (siehe dazu Kapitel 6 und 7).

[30] Dawkins (1996), S. 198.

[31] Auf S. 198 spricht Dawkins von »mächtigen Institutionen«, die sich der Geburtenkontrolle entgegenstellten und die Vorschub leisteten, dass Leute Kinder zeugten, die sie nicht ernähren könnten.

Soziobiologische Science-Fiction: »Meme« und die Wiederentdeckung von Hegels Weltgeist

Nachdem Dawkins seine Leser aus der höheren Warte des Theoretikers über Gene belehrt hat, führt er sie schließlich ins Reich der »Meme« (Einzahl: das »Mem«). Das Wort ist eine Neuheit aus der Erfinderwerkstatt der Soziobiologie, hat aber mittlerweile – auch in Deutschland – Eingang in Lehr- und Schulbücher gefunden. Meme seien »Melodien, Gedanken, Schlagworte, Kleidermoden, die Art, Töpfe zu machen oder Bögen zu bauen«, also kulturelle Vorstellungen und Errungenschaften. Bei Dawkins bleiben sie aber nicht das, was sie tatsächlich sind, nämlich genuine Produkte menschlicher Kommunikation und Kooperation, sondern werden selbst zu Akteuren des Kampfes ums Dasein: »So wie Gene sich im Genpool vermehren, indem sie sich mit Hilfe von Spermien oder Eizellen von Körper zu Körper fortbewegen, verbreiten sich Meme im Mempool, indem sie von Gehirn zu Gehirn überspringen.«[32] »Güter, um die Meme konkurrieren, sind Sendezeiten in Rundfunk und Fernsehen, Raum auf Anschlagtafeln und in den Zeitungsspalten sowie Platz in Bücherregalen.«[33] Dawkins glaubt, »daß Meme – unbewußt – ihr Überleben selbst sichergestellt haben, und zwar mit derselben Pseudo-Skrupellosigkeit, die auch erfolgreiche Gene an den Tag legen«[34]. Spätestens an dieser Stelle beginnt man, sich als Leser zu fragen, in welcher Gedan-

[32] Ibidem, S. 309.
[33] Ibidem, S. 316.
[34] Ibidem, S. 317.

kenwelt man sich hier eigentlich befindet. Es erstaunt, wie ein solches Gebäude von Phantastereien Aufnahme in den wissenschaftlichen Diskurs finden konnte. *Bei kritischer Betrachtung hätte einem auffallen müssen, dass man es bei den »Memen« im Grunde mit einer soziobiologischen Variante von Hegels »Weltgeist« zu tun hat, der durch die Geschichte wandelt.*[35] Zur Freiheit, die wir immer und unbedingt zu schützen haben, gehört, dass auch wenig überzeugende Gedanken zur Diskussion gestellt und publiziert werden sollten. Das Erschreckende aber ist, dass die Soziobiologie – wie schon Darwin mit seinem über allen anderen Aspekten des Lebens angesiedelten »Kampf ums Dasein« – im Land der Bierdeckel[36] Furore machte, das Denken über die Gene prägen konnte und bei nicht wenigen offenbar den klaren Verstand aussetzen ließ.

Science statt Science-Fiction: Der Beginn des Lebens und die Entstehung der Gene

Die Gene aller heute anzutreffenden Lebewesen bestehen, von ganz wenigen Ausnahmen abgesehen[37], aus einem Perlenketten-Molekül namens DNA (Desoxyribonukleinsäure). Ein nacktes Gen (bzw. seine DNA)

---

[35] Der Philosoph Georg Wilhelm Hegel (1770–1831) hatte die Vorstellung eines sich entlang der Geschichte entwickelnden Weltgeistes. Nicht der Philosoph denke, vielmehr denke der Weltgeist im Philosophen.

[36] Dies bezieht sich auf Dawkins' oben zitierte Bemerkung über die Gene in deutschen Bierdeckeln.

[37] Diese Ausnahme ist eine Untergruppe von Viren, die aus einem Perlenketten-Molekül namens RNA (Ribonukleinsäure) bestehen.

kann sich, auch wenn die notwendigen Bausteine dafür vorhanden sind, so wenig selbst verdoppeln, wie sich jemand am eigenen Schopf aus dem Sumpf ziehen kann. Die Herstellung von Genen ist, ebenso wie ihre Inbetriebnahme, ein kooperatives Unternehmen. Gene benötigen, nicht nur, um sich zu verdoppeln, sondern auch, um abgelesen zu werden, eine ganze Reihe von Helfermolekülen. Diese Helfer sind Eiweißstoffe (Proteine), zu deren Herstellung wiederum Gene benötigt werden. Gene sind nicht die Kommandeure der Natur. Sie tragen Informationen, deren Umsetzung aber durch zahlreiche externe Faktoren, auf welche die Gene keinen oder nur geringen Einfluss haben, reguliert wird. Im Hinblick auf die Entstehung des Lebens ist das Dilemma also, dass Gene, um tätig zu werden, Proteine brauchen, dass ein Protein aber nur hergestellt werden kann, wenn ein Gen vorhanden ist, das seinen Bauplan kennt. Den Anfang des Lebens müssen daher Vorläufermoleküle gebildet haben, die weder das eine noch das andere gewesen sein können. Die Vorstellung jedenfalls, sich selbst um die Wette replizierende Gene könnten am Beginn der Evolution gestanden, sich einen Kampf ums Überleben geliefert und in diesem Zusammenhang irgendwann einmal Zellen um sich herum gebaut haben, ist absurd und wird heute von keinem der Wissenschaftler geteilt, die sich mit der Frage der Entstehung des Lebens befassen.[38]

---

[38] Wissenschaftler auf diesem Gebiet waren bzw. sind – unter vielen weiteren – Carl Woese, Lynn Margulis, Anthony Poole, Massimo di Giulio und Jack Szostack.

Den Anfang des Lebens datieren Evolutionsbiologen auf eine Zeit vor etwa dreieinhalb bis vier Milliarden Jahren (zum Vergleich: Das Alter der menschlichen Spezies wird auf zwei bis drei Millionen Jahre geschätzt).[39] Weitgehend geteilt wird heute die erstmals 1967 von dem Mikrobiologen Carl Woese formulierte »RNA World Hypothesis« (RNA-Welt-Hypothese), der zufolge der Anfang des Lebens von kleinen Biomolekülen aus RNA (Ribonukleinsäure) gebildet wurde, die kooperative Verbindungen mit Proteinen bzw. deren Bausteinen (Aminosäuren) eingehen konnten.[40] Die Methode, mit der sich diese Urmoleküle teilen konnten[41], ließ vermutlich keine sehr exakten Kopien entstehen. Exakte Kopien herzustellen, dies dürfte vor vier Milliarden Jahren, salopp gesagt, auch kaum das »Problem« der Natur gewesen sein. Um was es damals ging, war nicht die soziobiologische Obsession eines Moleküls, mehr von sich selbst zu machen, um das Urmeer mit den eigenen Kopien zu beherrschen. Auf der Tagesordnung stand vielmehr ein Suchprozess, in dessen Verlauf etwas entstehen konnte, was Leben war und was als solches funktionieren würde. Dieser Suchprozess war ein von Grund auf kooperatives Unterfangen, bei dem Moleküle zueinander passen und ein funktionsfähiges Biosystem

[39] Arbeiten zu dieser Frage finden sich unter anderem bei Poole (2002), Penny et al. (2003), Di Giulio (2005), Poole (2004), Poole and Logan (2005).

[40] Verbindungen zwischen RNA und Proteinbausteinen (Aminosäuren) existieren auch heute und werden als t-RNA bezeichnet, Verbindungen von RNA und Proteinen heißen RNP (Ribonukleoproteine).

[41] Diskutiert wird hier eine Teilungsmethode auf der Basis eines kleinen RNA-Moleküls, eines so genannten Ribozyms.

bilden mussten, das mehr war als die Summe seiner anorganischen Einzelteile. Um in einer späteren Phase der Entwicklung bei jeder Teilung eine zuverlässige, exakte Kopie eines jeweiligen Urmoleküls zu erhalten, dazu bedurfte es einer quasi archivierten Matrix mit einem festen Bauplan, nach dem die Kopien entstanden. Eine solche Matrix wurde die DNA, die irgendwann zu den ersten Molekülen aus RNA und Proteinen hinzugekommen sein muss.

Phänomenale Kooperation am Beginn der Evolution: Die Endosymbiose

Bis heute noch völlig ungeklärt ist die Frage, wie es – »biotechnisch« betrachtet – zur Bildung von Zellen kam, deren Auftauchen auf eine Zeit vor etwa drei Milliarden Jahren geschätzt wird. Auch die Entstehung von Zellen ist ohne einen in hohem Maße kooperativen Prozess nicht vorstellbar. Mittels molekularbiologischer Studien ließ sich rekonstruieren, dass die ersten zellulären Lebewesen ein Minimum von etwa 250 Genen gehabt haben dürften.[42] Genetische Analysen an heute existierenden Einzellerwesen und die Rekonstruktion von genetischen Stammbäumen führten zu der – ebenfalls erstmals von Carl Woese im Jahre 1977 formulierten – inzwischen unumstrittenen Annahme, dass drei Urfamilien von Einzellerwesen am Anfang des Geschehens standen: die so genannten Archaea (Ur-Einzeller), die Bakterien und die

[42] Zum Vergleich: Die Zahl der menschlichen Gene wird auf etwa 30000 geschätzt.

Eukaryonten. Letztere sind jene Sorte von Zellen, aus denen die heute lebenden Pflanzen und Tiere, aus denen also auch wir selbst bestehen. Eukaryonten waren das Ergebnis eines geradezu phänomenalen kooperativen Vorgangs, der als »Endosymbiose« bezeichnet wird: Die Biologin Lynn Margulis erkannte in den siebziger Jahren, dass Eukaryonten aus einer Verschmelzung von Archaea-Zellen mit Bakterien hervorgegangen sein müssen. Diese Annahme, die sie auf detaillierte Strukturanalysen stützte, wurde inzwischen durch genetische Analysen bestätigt[43]: Jede unserer Körperzellen enthält Zellkörperchen (so genannte Mitochondrien), die Sauerstoff verwerten und so in der Zelle für die Bereitstellung von Energie sorgen können. Mitochondrien, die auch heute noch innerhalb jeder eukaryontischen Zelle ihre eigenen Gene haben, waren, wie Margulis erkannte, einst Bakterien. Durch Endosymbiose, das heißt durch eine Vereinigung mit Archaea-Zellen, wurden sie zum Bauteil eines neuen Zelltyps, nämlich der Eukaryonten.[44] Ein Blick auf die frühe Evolution macht deutlich, dass die Entstehung des Lebens und seine Entwicklung hin zu komplexeren Strukturen *primär* kooperative Prozesse erfordern und dass die Bewahrung von Leben, so sehr sie *sekundär* auch Konkurrenz und Kampf erfordern mag, vor allem durch fortbestehende biologische Kooperation gesichert wird.[45]

---

[43] Margulis (1990, 2000, 2005); Lopez-Garcia und Moreira (1999); Poole et al. (2003); Pereto et al. (2005).

[44] Beispiele kooperativer Vereinigungen von Vorläuferzellen zu einer gemeinsamen neuen Zellform werden auch heute noch beobachtet (Okamoto und Inouye, 2005).

[45] Siehe Margulis (1990, 1991, 1995, 2002, 2005).

Gene als »genetic gypsies«: Nichtsesshaftigkeit in der Frühzeit der Evolution

Auch für die Zeit nach Entstehung der drei Urfamilien von Zellen (Archaea, Bakterien und Eukaryonten) liegt keinerlei wissenschaftliche Beobachtung vor, die für einen Kampf der Gene um die Weltherrschaft spräche. Im Gegenteil, Analysen zeigen, dass Gene in der Frühphase des Lebens wie auf Wanderschaft befindliche heimatlose Handwerksgesellen umherzogen und zwischen Wirtsorganismen in hohem Maße hin und her wechselten. Gene seien »genetic gypsies« (genetische Zigeuner), »extremely nomadic« (extrem nomadenhaft) gewesen, wie es der an der Universität von Stockholm arbeitende Genforscher und Evolutionsbiologe Anthony Poole ausdrückt. Dies konnte dazu führen, dass Einzeller Gene verloren, andere welche hinzugewannen. Das Ganze scheint ein globales Spiel der Natur gewesen zu sein, bei dem in großem Umfang neue biologische Kombinationen »ausprobiert« und auf ihre Lebensfähigkeit hin »getestet« werden konnten. Von einem Kampf der Gene, wie ihn die Soziobiologie phantasiert, kann auch in dieser Phase der Evolution jedenfalls keine Rede sein.

Was stattfand, war vielmehr ein Phänomen, das heute als »horizontale Vererbung« (oder auch als »laterale Vererbung«) bezeichnet wird: Gene wurden »zur Seite« weitergegeben und ausgetauscht. Analysen zeigen zum Beispiel, dass das heute noch in unseren Därmen existierende Bakterium Escherichia coli, dessen Entstehung auf eine Zeit vor etwa hundert Millionen Jahren datiert wird, seit jener Zeit etwa zehn Prozent seines gesamten Erbgutes durch horizontale Vererbung hinzugewonnen hat (wozu etwa zweihundert horizontale Austauschvorgänge nötig waren).[46] Es dauerte eine lange Zeit, bis die Bedeutung der horizontalen Vererbung abnahm und durch das Prinzip der überwiegend »vertikalen Vererbung« auf die eigenen Nachkommen abgelöst wurde. Ein horizontaler Austausch von genetischem Material findet allerdings auch heute noch statt: Kleine DNA-Stücke, so genannte Plasmide, können zwischen Bakterien, aber auch zwischen Pflanzenzellen wechseln. Auch wir als Menschen sind, wie alle anderen Säugetiere, gelegentlich von horizontalem DNA-Austausch betroffen, den uns zum Beispiel Viren zufügen können, indem sie sich mit ihrem Erbgut oder mit Teilen desselben in die DNA unserer eigenen Zellen einnisten.[47] Horizontaler Austausch von Genen findet auch in der Gentechnik statt: Methoden, derer sich die Biotechnologie heute bedient, sind im Grunde also eine Fortentwicklung dessen, was in der Evolution bereits eine lange Geschichte hat (was weder bedeutet, dass biotechnische Methoden immer ungefährlich sind, noch, dass sie in jedem Falle gefährlich sein müssen).

[46] Siehe Poole (2002).

[47] Eine weitere – vor allem in ihrer Bedeutung für die Entstehung neuer Arten – erst jüngst erkannte Form des horizontalen Austausches von Genen sind Bastardbildungen, also Kreuzungen zwischen nahe verwandten Arten. Wie bereits erwähnt, zeigten jüngste genetische Analysen, dass der heutige Mensch vermutlich aus einem horizontalen Gen-Austausch aufgrund einer Bastardbildung (Kreuzung) zwischen Vorfahren des heutigen Menschen und Vorfahren der heutigen Schimpansen hervorging (Patterson et al., 2006; siehe auch Mavarez et al., 2006). Auch dies zeigt wiederum die zentrale Bedeutung biologischer Kooperationsprozesse.

Gene steuern nicht nur, sie werden auch gesteuert. Gene funktionieren nur in Kooperation mit zahlreichen, heute bis ins Detail aufgeklärten externen Faktoren. Dies gilt uneingeschränkt auch für die etwa 30000 Gene unseres Körpers. Gene bestehen, wie bereits erwähnt, aus einem Perlenketten-Molekül namens DNA. Jedes Gen enthält die Information für die Herstellung eines Eiweißstoffes (eines Proteins). Da Proteine den Stoffwechsel des Körpers regeln, bestimmt die in den Genen niedergelegte Erbinformation über den Grundbauplan des Körpers. Über 99 Prozent der DNA der Gene sind innerhalb der Menschheit identisch. Aus der Sicht der DNA-Perlenkette sind also Menschen, soweit es den Bereich innerhalb der Gene betrifft, untereinander nicht sehr verschieden (es gibt – in Form der Epigenetik – allerdings einige andere biologische Aspekte, die uns verschieden machen; wir werden darauf zurückkommen). Jedes unserer Gene hat zwei Elemente: Das eine ist eine DNA-Strecke, »kodierende Region« genannt, die zwecks Herstellung eines Proteins abgelesen werden muss. Das andere Element eines jeden Gens ist ein DNA-Teilstück, das der kodierenden Region vorangestellt ist und als »Promoter«, als »Genschalter« bezeichnet wird.[48] Der Genschalter dient dazu, von außerhalb des Gens kommende Signale zu er-

[48] Viele Gene haben außer dem »Promoter« noch einen zweiten Genschalter mit ähnlicher Funktion, den man aufgrund bestimmter Besonderheiten »Enhancer« nennt.

kennen.[49] Er entscheidet, je nachdem, welche Signale zu einem bestimmten Zeitpunkt eintreffen, ob und wie stark das nachgeschaltete Gen aktiv sein wird, das heißt wie oft es abgelesen werden soll.[50] Abhängig von der Umweltsituation[51], wechseln die bei den Genen eintreffenden Signale fortlaufend.

Gene des Immunsystems, an denen ich selbst jahrelang geforscht habe, zeigen, wie bedeutsam diese Kontrolle ist: Sobald sich Viren oder Bakterien Zugang zum Körper verschafft haben, werden die Eindringlinge überall dort, wo sie auftauchen, von den Oberflächen von Abwehrzellen erkannt. Von dort gehen sofort biochemische Signale zum Zellkern. Es sind nicht irgendwelche, sondern immer nur sehr spezifische Signale, die bei den Genen ankommen, in diesem Falle Signale, die auf die Genschalter von Genen des Immunsystems wirken und die Botschaft überbringen, dass eine umgehende Abwehrreaktion stattfinden muss. Immunbotenstoffe sind, obwohl vom Kör-

---

[49] Signalstoffe, die an den Promoter binden können, heißen »Transkriptionsfaktoren«. Ob ein Transkriptionsfaktor an den Promoter bindet, hängt von einer Signalkette ab, welche ihren Ausgangspunkt in der Regel an der Zelloberfläche nimmt und das Signal nach innen – wie bei einem Staffettenlauf – bis zu den Promotern der Gene weitergibt.

[50] Um – nach entsprechender Aktivierung durch den Genschalter – tatsächlich abgelesen zu werden, benötigt das Gen wiederum eine große Zahl von Helfermolekülen (so genannte Helikasen, Polymerasen und Terminasen).

[51] Zur »Umwelt« aus der Sicht der Gene zählt die Situation innerhalb der jeweiligen Zellen, die Situation des Körpers als Ganzes, die aufgenommene Nahrung, die ökologische Qualität unserer Lebenswelt, unser Lebensstil, aber auch die aktuelle zwischenmenschliche Situation, die vom Gehirn in biologische Signale übersetzt wird, die einen starken, wissenschaftlich nachgewiesenen Effekt auf die Regulation von Genen haben.

per selbst hergestellt, potenziell gefährliche Substanzen und können bei überschießender Wirkung zum Tode führen. Deshalb dürfen die Aktivierung und anschließende Abschaltung der Gene, welche die Bildung von Immunbotenstoffen auslösen, keinesfalls den Genen selbst überlassen bleiben, sondern müssen unter schärfster Kontrolle durch den Gesamtorganismus stehen. Dies ist ein Beispiel für die entscheidende Bedeutung einer mit der jeweiligen Körper- oder Umweltsituation abgestimmten Regulation von Genen.[52]

Kommunikation zwischen Genen und Umwelt: Gene werden reguliert

Was für das Immunsystem gilt, gilt auch für die Gene aller anderen Körpersysteme und insbesondere auch für das Gehirn. Jede Mahlzeit, die wir verzehren, bedeutet für Magen-Darm-Trakt und Leber ein Stück »neue Umwelt«. Abhän-

[52] Veränderungen im Bereich der »DNA-Perlenkette«, sozusagen der Austausch einer Perle durch eine »falsche« andere Perle (biochemisch gesprochen: eine Veränderung der Abfolge von Nukleotiden, das heißt eine »Mutation«), können zu einem fehlerhaften Genprodukt oder zu einer Störung der Genregulation führen. Mutationen sind vererbbar. Deren quantitative Bedeutung wurde und wird aber völlig überschätzt. Glücklicherweise sind durch Mutationen verursachte Erkrankungen (zum Beispiel die Mukoviszidose oder die Chorea Huntington) extrem selten und machen nur etwa ein bis zwei Prozent aller Krankheiten aus. Es gibt Mutationen, die nicht *sicher* zu einer Erkrankung führen, aber das *Risiko* erhöhen, zu erkranken. Etwa fünf (!) Prozent aller Patientinnen mit Brustkrebs haben zum Beispiel solche Risikogene (die so genannten BRCA-Gene), 95 Prozent der Brustkrebspatientinnen haben aber *keine* erbliche Form der Erkrankung. Auch die Alzheimer-Krankheit ist in über 95 Prozent der Fälle *nicht* erblich.

gig von dem, was wir aufnehmen, werden hier fortlaufend neue Genprogramme aktiviert (und zur rechten Zeit wieder heruntergefahren), die geeignet sind, die jeweilige Nahrung zu verdauen. Dem Magen-Darm-Trakt an Bedeutung noch vorangestellt ist – jedenfalls bei den meisten Menschen – wohl das Gehirn. Kein anderes Organ wird fortlaufend mit derart vielen neuen »Umwelten« konfrontiert. Kurz und etwas salopp gesagt, macht das Gehirn aus Psychologie Biologie: Jede Situation wird über die fünf Sinne aufgenommen, in neuronalen Netzwerken repräsentiert und scheint damit in unserem Bewusstsein auf. Außerdem wird *jede* äußere Situation, während sie für uns intellektuell wahrnehmbar wird, simultan emotional bewertet[53], auch wenn wir dies manchmal gar nicht bemerken (für das Gehirn gibt es keine »rein sachlichen« Situationen). Auch jede zwischenmenschliche Situation führt zu neuronaler Erregung. Äußere Situationen, die unser Gehirn wahrnimmt, haben die Ausschüttung von Nervenzell-Botenstoffen (Neurotransmittern) zur Folge. Ausgeschüttete Neurotransmitter aktivieren dort, wo sie hingeschickt werden, andere Körperzellen (meistens andere Nervenzellen). In den so aktivierten Zellen wiederum kommt es nun – zusätzlich zu einigen anderen Effekten – zur Anschaltung oder Abschaltung von Genen. Dieser Ablauf, beginnend bei der psychischen Situation und endend bei der Regulation von Genen, ist keine Phantasie, sondern wissenschaft-

[53] Die emotionale Bewertung leisten die Nervenzell-Netzwerke des so genannten Limbischen Systems, zu dem die Mandelkerne (Corpora Amygdalea), der vordere Teil des Gyrus Cinguli (ACC) und die Insula (sie ist eine Art »Körperkarte« unserer inneren Organe) gehören.

lich nachgewiesen.[54] Er findet bei allen Menschen statt. Er unterliegt nur partiell, manchmal gar nicht unserer bewussten Kontrolle, ist also durch unseren Willen nur gering, manchmal überhaupt nicht beeinflussbar (was nicht heißt, dass wir überhaupt keinen »freien Willen« hätten[55]). Worauf es an dieser Stelle aber ankommt, ist: *Gene kommunizieren permanent mit der Umwelt, sie sind die großen Kommunikatoren unseres Körpers. Gene sind sowohl in ihrer Beziehung untereinander als auch gegenüber der Umwelt ein kooperierendes Netzwerk.* Eines der am besten untersuchten Beispiele dafür ist, soweit es das Gehirn betrifft, die Aktivierung von Stressgenen. Sie werden angeschaltet, wenn Menschen sich allein gelassen oder unter zu großen Druck gesetzt fühlen[56] (was nicht heißt, dass wir uns gegenseitig in Watte packen müssten[57]). Umgekehrt führen, wie in Kapitel 2 geschildert, soziale Isolation, menschliches Desinteresse, Mangel an Förderung und fehlendes Gefordertwerden zur Abschaltung von Genen des Motivationssystems. Nicht nur unser Gehirn, auch unsere Gene haben uns als kooperative Wesen konstruiert.

---

[54] Siehe zum Beispiel Angelika Bierhaus und Kollegen (2003).

[55] Siehe dazu Joachim Bauer: »Warum ich fühle, was du fühlst« (2005) Kapitel 11.

[56] Alle Formen von zwischenmenschlichem Stress, insbesondere unlösbare Konflikte und fehlende Unterstützung, führen zur Aktivierung des Stressgens CRH (Corticotropin Releasing Hormone), was einen Anstieg des Stresshormons Cortison hervorruft. Dauerhaft erhöhte Cortisonspiegel haben eine Beeinträchtigung des Immunsystems zur Folge, da Cortison körpereigene Immungene abschalten kann. Auch hier wird deutlich, wie Gene kommunizieren. Zur Bedeutung der Stressgene siehe Joachim Bauer: »Das Gedächtnis des Körpers« (2004).

[57] Siehe dazu Kapitel 6.

Die kommunikative und auf Kooperation gerichtete Natur unserer Gene verdeutlichen neuartige Beobachtungen, die vor wenigen Jahren noch für undenkbar gehalten worden wären. Gene haben die Möglichkeit, Erfahrungen des Organismus in seiner Umwelt in Form eines biochemischen Skripts abzuspeichern. Dies kann eine längerfristige Änderung der Arbeitsweise eines Gens bewirken. Die sich daraus ergebenden Folgen können, wenn es sich um Gene im Bereich der Neurobiologie handelt, das seelische Erleben und Verhalten eines Individuums betreffen. Dies verdeutlichen unter anderem bahnbrechende Experimente der Arbeitsgruppen des kanadischen Neurobiologen Michael Meaney und des inzwischen als Direktor des NIMH (National Institute of Mental Health) tätigen Thomas Insel. Wie bereits erwähnt, reagieren Säugetiere, der Mensch mit eingeschlossen, auf bedrohliche Situationen mit einer Aktivierung ihrer Stressgene. Neugeborene zeigen, sobald man ihnen für einige Zeit die Mutter entzieht, eine massive Aktivierung des bedeutendsten unter den Stressgenen, des CRH-Gens (des Corticotropin-Releasing-Hormone-Gens). Die gleiche biologische Reaktion ist, wann immer sich eine bedrohliche Situation einstellt, auch im späteren Leben zu beobachten. Studien zeigen, dass die Stressbiologie beim Menschen im Prinzip nach dem exakt gleichen Muster abläuft wie bei anderen Säugetieren. Wie beim Menschen, so zeigt sich auch bei erwachsenen Säugetieren, dass das Stressverhalten und die Stärke der Aktivierung des CRH-Gens individuell sehr unterschiedlich ausfallen können, auch wenn die äußere Stresssituation die gleiche ist. Bestimmte Menschen reagieren, ebenso wie individuelle Tiere, bei ein und derselben Situation sehr unterschiedlich. Dies ist der Grund, warum manche bereits panisch werden, während andere die Gefahr zwar erkennen, aber noch besonnen reagieren können. Bereits 1997 beobachtete Michael Meaneys Arbeitsgruppe[58], dass Neugeborene, die in der Zeit unmittelbar nach der Geburt (in der so genannten Postnatalzeit) ein geringeres Ausmaß an mütterlicher Zuwendung erhalten hatten als genetisch identische Geschwistertiere, im späteren Leben auf eine Stressituation mit einer deutlich stärkeren Aktivierung des CRH-Stressgens reagierten. Obwohl sich diese Beobachtung beliebig reproduzieren ließ, war sie zunächst nicht zu erklären. Vor kurzem jedoch fand Meaney des Rätsels Lösung: Er beschäftigte sich mit einem Antistressgen[59], das einen dämpfenden Einfluss auf die Aktivität des CRH-Stressgens ausübt. Dieses Antistressgen, so zeigte sich, war bei Tieren, die in der Postnatalzeit eine intensivere mütterliche Zuwendung erhalten hatten, auf Dauer stärker aktiv. Die mütterliche Zuwendung hatte einen bleibenden verstärkenden Effekt auf das Antistressgen zur Folge, so dass diese Tiere später in einer Stresssituation weniger stark mit dem CRH-Stressgen reagierten. Michael Meaney konnte schließlich auch klären, *warum* das Antistressgen dauerhaft aktiv war. Er fand heraus, dass die postnatale mütterliche Zuwendung Verän-

---

[58] Liu et al. (1997).

[59] Dieses Gen heißt Glucocorticoid-Rezeptor-Gen und übt seine Funktion in einer Hirnregion namens Hippocampus aus.

derungen an biochemischen Strukturen zur Folge hatte, mit denen Gene gleichsam »eingepackt« sind. Die mütterliche Zuwendung hatte an einer wichtigen Stelle des Antistressgens Teile der »biochemischen Verpackung« entfernt und damit dafür gesorgt, dass bei diesem Gen die Aktivität dauerhaft erhöht blieb.[60] Die Folge: Bei diesen Jungtieren konnte das Stressgen CRH nicht mehr so stark »ausschlagen«.

Epigenetik: Biologische und psychische Prägung durch Umwelterfahrungen

Veränderungen an der genetischen »Verpackung«, welche die Funktion eines Gens verändern, ohne dabei Einfluss auf den »Text« des Gens zu nehmen, also ohne die DNA-Sequenz zu verändern, werden als *epigenetisch* bezeichnet. *Für die Funktion der Gene hat die »biochemische Verpackung«, also die Epigenetik, nach inzwischen gesicherten Erkenntnissen eine mindestens ebenso weit reichende Bedeutung wie der eigentliche »Text« des Gens. Epigenetische Strukturen wiederum werden in hohem Maße durch Umwelterfahrungen ge-*

---

[60] Bei den Strukturen, die ich hier als »biochemische Verpackung« bezeichnet habe, handelt es sich um Methylgruppen, die seitlich an die DNA angehängt sein können. Wie Meaney herausfand, hatte die mütterliche Zuwendung eine Entfernung solcher Methylgruppen im Bereich des Genschalters (Promoters) des Glucocorticoid-Rezeptorgens zur Folge, so dass das Gen auf lange Sicht verstärkt transkribiert (abgelesen) werden kann (Weaver et al., 2004). Auch die Zwischenschritte zwischen mütterlicher Zuwendung und Demethylierung des Glucocorticoid-Rezeptorgens wurden von Meaney inzwischen aufgeklärt (Hellstrom et al., 2005).

prägt.[61] Veränderungen an epigenetischen Strukturen können ein Gen bremsen oder völlig ausschalten, sie können es aber auch aktivieren. Jede der genannten Möglichkeiten kann für das betroffene Individuum gut oder verheerend sein. Veränderungen im Bereich der Epigenetik finden in zweierlei Weise statt: Sie können zum einen die schon erwähnten biochemischen Seitenketten (Methylgruppen) betreffen, die direkt an die DNA angehängt sind (dies war bei Michael Meaneys Experiment der Fall). Von epigenetischen Veränderungen können aber auch Eiweißkomplexe (Proteine) betroffen sein, die als »Histone« bezeichnet werden und eine Art Wickelspule bilden, um welche die DNA der Gene herumgewickelt ist. Biochemische Seitenketten an dieser »Spule der Histone« haben Einfluss darauf, ob das um die Spule gewickelte Gen funktionsbereit ist oder nicht.[62] Ursache epigenetischer Veränderungen sind in der Regel chemische oder biochemische Substanzen, und zwar sowohl solche, die dem Körper selbst entstammen, als auch von außerhalb des Körpers kommende Einflüsse, auf die ich noch eingehen werde. Michael Meaneys Untersuchungen zeigten, dass auch psychische Erfahrungen – indem sie vom Gehirn in biologische Signale verwandelt werden – epigenetische Veränderungen bewirken können.

---

[61] Zur Epigenetik siehe Arbeiten von Frank Weismann und Frank Lyko (2003), Gerda Egger et al. (2004), Hugh Morgan et al. (2005), Bernhard Horsthemke (2005), Sandro Lein und Günter Reuther (2005), Walter Doerfler (2005), Jörn Walter und Martina Paulsen (2005), Thomas Haaf (2005), Karin Buiting (2005), Dirk Prawitt und Bernhard Zabel (2005).

[62] Seitenketten an Histonen mit epigenetischer Bedeutung sind sowohl Methyl- als auch Acetylgruppen.

Aus alledem ergibt sich eine bahnbrechend neue Erkenntnis: *Intensive, prägende Erfahrungen, die in der frühen Zeit des Lebens in das epigenetische Muster eingehen, hinterlassen ihre Spuren unabhängig davon, ob die Erfahrungen mit genetisch verwandten oder nicht verwandten Bezugspersonen gemacht wurden. Daraus folgt, dass wir außerhalb des eigentlichen Erbgangs nachhaltig biologisch geprägt werden können.* Dies wurde in einer von Thomas Insel mit seiner Mitarbeiterin Darlene Francis durchgeführten Untersuchung besonders eindrucksvoll gezeigt[63]: Mäuse des Stammes »B6« zeigen in standardisierten Verhaltensexperimenten ein mutigeres und clevereres Verhalten als ihre Kameraden aus dem genetisch abweichenden Mäusestamm »BALB«. Wenn Darlene Francis und Thomas Insel frisch befruchtete Mäuseembryos vom Stamm »B6« in die Gebärmutter von Muttertieren des »BALB«-Stammes übertrugen und dort heranwachsen ließen und wenn die Tiere auch nach der Geburt bei den »BALB«-Ersatzmüttern belassen wurden, dann zeigten die Jungtiere nicht mehr das Verhalten des »B6«-Stammes, dessen Gene sie trugen, sondern verhielten sich wie »BALB«-Mäuse. Die Erklärung dafür sind epigenetische Prägungen, die sich sowohl im vorgeburtlichen, intrauterinen Milieu als auch im Versorgungsmilieu nach der Geburt abspielen können. Aus alledem wird deutlich: *Gene und Umwelt, Beziehungserfahrungen und körperliche Biologie bilden eine Einheit, sie sind Teil eines kooperativen Projekts.*[64]

---

[63] Siehe Francis et al. (2003).

[64] Siehe dazu, aus etwas anderer Perspektive, nochmals Hans Helmut Hiller (2004). Hiller bezieht sich in seinen Ausführungen unter anderem

Die Kooperation ist dabei kein sekundärer, dem Kampf ums Überleben untergeordneter Aspekt. Umgekehrt macht das Modell Sinn: Ohne das Gelingen von Kooperation (als dem primären Vorgang) kann nichts entstehen, was lebenstüchtig ist.

Epigenetik als Krankheitsursache: Depression und Krebserkrankungen

Auswirkungen, die sich aus epigenetischen Veränderungen ergeben, betreffen keineswegs nur Neurobiologie, Psyche und Verhalten, sondern den Körper als Ganzes. Jedes Lebewesen erwirbt sich, da es im Laufe seines Lebens sowohl mit der physischen (stofflichen) als auch mit der psychischen Umwelt seine individuellen Erfahrungen macht, ein eigenes »epigenetisches Muster«. Das heißt, Erfahrungen, die der Körper in seiner Welt macht, verpassen ihm eine biologische, die Arbeitsweise seiner Gene beeinflussende Prägung. Untersuchungen an eineiigen Zwillingen zeigen, dass die Unterschiede im epigenetischen Muster zwischen den beiden Zwillingen mit steigendem Lebensalter zunehmen.[65] Epigenetische Ver-

---

auch auf die Bedeutung der so genannten RNA-Interferenz, auf die ich hier nicht eingehe. Eine brillante Übersicht über zahlreiche, teilweise phänomenale Interaktionen zwischen Genen und Umwelt in der Pflanzen- und Tierwelt findet sich bei Anurag Agrawal (2001).

[65] Der Grund ist: Je länger eineiige Zwillinge leben, desto länger sind sie aufgrund ihrer individuellen Umwelten individuellen Einflüssen auf ihre epigenetischen Muster ausgesetzt. Obwohl der »Text« ihrer Gene (also die DNA-Sequenz) identisch bleibt, verändert sich also das Muster, nach dem ihre Gene aktiv werden. Fraga et al. (2005).

änderungen haben einen entscheidenden Einfluss sowohl auf die Erhaltung der Gesundheit als auch auf das Risiko zu erkranken. Im Rahmen der normalen Entwicklung eines Menschen werden Gene in bestimmten Phasen an- und abgeschaltet. Wachstumsgene, die während der Embryonal- oder Kindheitsentwicklung aktiv sein müssen, werden später zum Beispiel durch epigenetische Blockaden deaktiviert. Werden solche epigenetischen Blockaden (zum Beispiel durch Gifte) aufgehoben, kann dies – manchmal auch erst mit erheblicher zeitlicher Verzögerung – zur Entstehung eines Krebsleidens beitragen. Umgekehrt dürfen beispielsweise solche Gene, welche die Reparatur der DNA des Erbguts überwachen, keinesfalls abgeschaltet werden. Wenn epigenetische Veränderungen hier zu einem »gene silencing« (zur Stilllegung eines Gens) führen, kann auch dies das Tumorrisiko erhöhen.[66] Epigenetische Vorgänge werden sich nach Einschätzung des Essener Humangenetikers Bernhard Horsthemke als Hauptursache nicht nur der Tumorerkrankungen, sondern auch anderer großer Volkskrankheiten herausstellen. Auch im Falle der Depression, einer echten »Volkskrankheit«, von der in ihrer schweren Form jeder siebte Mensch einmal in seinem Leben betroffen ist, könnten epigenetische Faktoren eine wichtige Rolle spielen. Bei Personen, die an Depression leiden, fand der Münchner Psychiater Florian Holsboer bereits in den achtziger Jahren eine Konstellation, die exakt dem entspricht, was Michael Meaney bei Tieren feststellte, die in der Zeit nach der Geburt weniger Zuwendung als andere neugeborene

[66] Siehe Horsthemke (2005) sowie Prawitt und Habel (2005).

Artgenossen erhalten hatten. Wie Michael Meaney bei Tieren mit wenig postnataler Zuwendung, so fand Florian Holsboer auch bei Menschen mit erhöhtem Depressionsrisiko eine fehlende Dämpfung des Stressgens CRH durch ein wichtiges Antistressgen.[67] Die Folge ist eine Überaktivierung des Stressgens CRH. Tatsächlich zeigen Studien, dass Menschen mit höherem Risiko, an einer Depression zu erkranken, in der Frühphase des Lebens weniger sichere Bindungen zu Bezugspersonen hatten.[68] *Es erscheint mehr als wahrscheinlich, dass Erfahrungen von unsicherer Bindung in der Frühphase des Lebens ein epigenetisches Skript in den Stressgenen hinterlassen und auf diese Weise das spätere Depressionsrisiko erhöhen.*

Gene und Epigenetik: Was vererbt wird und was nicht

Von wenigen Ausnahmen abgesehen, werden die epigenetischen Spuren, die sich im Verlauf unseres Lebens in die »Verpackung« unserer Gene eingeschrieben haben, *nicht* an unsere Nachkommen weitervererbt. Zellen, mit

---

[67] Bei diesem Antistressgen handelt es sich, wie bereits erwähnt, um das Gen für den so genannten Glucocorticoid-Rezeptor. Dieser Rezeptor findet sich insbesondere in einem Hirnareal namens Hippocampus.

[68] Siehe Joachim Bauer: Das Gedächtnis des Körpers (2004). Defizite bei frühen Bindungserfahrungen bedeuten nicht, dass Eltern »Schuld« tragen. Vielerlei Schicksalsschläge, zum Beispiel Erkrankungen oder soziale Not, machen es Eltern oft unmöglich, ihrem Kind die optimale Fürsorge zu schenken. Allerdings sollten Eltern dort, wo sie die Möglichkeit dazu haben, dem Hegen und Pflegen ihres Kleinkindes oberste Priorität einräumen. Dies betrifft vor allem auch die Väter.

denen wir unsere Nachkommen zeugen, stellen – zusammen mit ihren Vorläuferzellen, aus denen sie gebildet werden – ein besonderes, vom Rest des Körpers in gewisser Weise »abgeschottetes« Gewebe dar, das als »Keimbahn« bezeichnet wird. Die zur Keimbahn gehörenden Zellen befinden sich im Eierstock und in den Hoden. Zellen sind besonders empfänglich für epigenetische Veränderungen, wenn ihre Gene aktiv sind, vor allem aber dann, wenn sich Zellen teilen. Dies ist bei den normalen Zellen in den verschiedenen Organen unseres Körpers, den so genannten somatischen Zellen, praktisch immer der Fall. Anders verhält es sich mit den Zellen der Keimbahn. Sie sind in jeder Generation nur zweimal für jeweils kurze Zeit aktiv: einmal, wenn im Körper des erwachsenen, geschlechtsreifen Idividuums aus den Vorläuferzellen des Hodens Spermien bzw. aus den Vorläuferzellen des Eierstocks reife Eizellen entstehen, und dann ein zweites Mal, wenn sich im Leib des Embryos während der Schwangerschaft die Organe bilden, die im entstehenden Lebewesen zur männlichen oder weiblichen Keimbahn (also zu Eierstöcken oder Hoden) werden sollen. In diesen beiden sensiblen Phasen besteht die Gefahr, dass äußere Einflüsse auch bei Zellen der Keimbahn zu epigenetischen Veränderungen führen, die dann erblich sein können. Ein trauriges Beispiel dafür sind die Spätfolgen einer Hormonbehandlung, von der zwischen den Jahren 1947 und 1971 über einer Million schwangere Frauen betroffen waren. Das ihnen verabreichte Hormon DES (Diethylstilbesterol) sollte, so wurde den Frauen damals gesagt, die Schwangerschaft stabilisieren und Fehlgeburten verhindern. Die Behandlung hatte jedoch – aufgrund einer fatalen epigenetischen Wirkung auf die sich entwickelnden Embryonen – bei den weiblichen Nachkommen Fehlbildungen der Gebärmutter und der Vagina sowie ein erhöhtes Krebsrisiko zur Folge. Später an Tieren durchgeführte Untersuchungen zeigten, dass das Hormon DES im Embryo das epigenetische Muster einiger Schlüsselgene verändert. Leider ergab sich dabei zusätzlich die düstere Prognose, dass diese Veränderungen auch die Zellen der Keimbahn betrafen und daher möglicherweise an mehrere nachfolgende Generationen weitervererbt werden können.[69]

Der biologische Fingerabdruck und die »zweite Chance« des Lebens

Wenn auch die große Mehrheit individuell erworbener epigenetischer Veränderungen *nicht* an die Nachkommen weitervererbt wird, so ist es doch sehr wohl möglich, dass epigenetisch bedingte Störungen in Familien gehäuft auftreten. Dies ist vor allem für psychische Störungen relevant. Wie zahlreiche Studien belegen, neigen Säugetiere dazu, Erfahrungen, die sie in der frühen Lernphase ihres Lebens am eigenen Leibe gemacht haben, später an ihre eigenen Nachkommen weiterzugeben.[70] Dies ist auch beim Menschen zu beobachten. Individuen, die frühes Leid, Vernachlässigung oder Traumatisierungen erlitten haben, werden davon einen biologischen Fingerabdruck zurückbehalten, der ihr eigenes

[69] Siehe Li et al. (2003), Ruden et al. (2005), Übersicht bei Buiting (2005).
[70] Siehe Kapitel 3 und speziell Maestripieri (2005).

Verhalten beeinflusst. Indem sie einen Teil der selbst erlittenen Erfahrungen *nicht durch ihre Gene, sondern durch ihr verändertes Verhalten* an ihre eigenen Kinder weitergeben, erzeugen sie bei diesen ähnliche epigenetische Muster. *Wir müssen uns daher mehr als bisher klar machen, dass es – neben der klassischen Vererbung – eine davon unabhängige Weitergabe von biologischen und psychologischen Merkmalen von einer Generation zur nächsten gibt.* Eine solche Weitergabe dürfte bei vielen psychischen Gesundheitsstörungen eine entscheidende Rolle spielen.

Welche Chancen haben wir, dem ewigen Weitergeben und Wiederholen von Mustern zu entgehen? Die erste Chance scheint die Pubertät zu sein. Wie neueste Untersuchungen aus Michael Meaneys Arbeitsgruppe zeigen, scheint der mit dieser Zeit verbundene hormonelle Sturm einen Teil des epigenetischen Skripts ausradieren zu können, das im Gehirn während der Postnatalzeit geschrieben wurde.[71] Voraussetzung ist allerdings, dass die Pubertierenden[72] in dieser Zeit tatsächlich auch neue, bereichernde Erfahrungen machen können. Falls sich die Beobachtungen Meaneys für den Menschen bestätigen – wogegen nichts spricht –, sollten wir einmal mehr bedenken, was es bedeutet, dass unsere Gesellschaft einem Teil der Jugendlichen derzeit nichts als soziale Vernachlässigung, Gewalt verherrlichende Bildschirm-

---

[71] Siehe Bredy et al. (2004).

[72] Michael Meaneys Untersuchung arbeitete mit kleinen Säugetieren (Nagern). Angesichts der prinzipiellen Übertragbarkeit aller neurobiologischen Beobachtungen in ähnlichen Fällen ist davon auszugehen, dass die Situation beim Menschen gleich gelagert ist.

produkte, Lehrstellenmangel und Arbeitslosigkeit anzubieten hat.

Eine zweite Chance, der ewigen Wiederholung der erwähnten Muster zu entgehen, ist die Psychotherapie. Sie wirkt, wie vielfach gezeigt werden konnte, nicht nur auf das psychische Erleben, sondern auch auf die neurobiologischen Strukturen des Menschen.[73]

Schlussfolgerungen: Was ist die Botschaft?

Gene sind nicht »egoistisch«, sondern interagieren mit Signalen, die ihnen aus der Umwelt zufließen.[74] Gene werden hinsichtlich ihrer Aktivität fortlaufend – in einer an die jeweilige Situation angepassten Weise – reguliert. Darüber hinaus können Umwelteinflüsse Gene nachhaltig prägen: Sie können die epigenetische Struktur (die Umhüllung) von Genen und damit deren Aktivität dauerhaft verändern. Lebewesen und ihre Gene sind Systeme, die mit der Umwelt kommunizieren, in der sie leben. Zu den bereits lange bekannten »Verhaltensweisen« von Genen gehören die *Variation*[75] und die *Rekombination*, wie sie

[73] Dazu nochmals Joachim Bauer: Das Gedächtnis des Körpers (2004).

[74] Frans de Waal, ein in den USA arbeitender Primatenforscher, zog kürzlich (de Waal, 2005) die folgende Schlussfolgerung: »We are social to the core. Selfishness of genes is a questionable notion.« – (»Wir sind sozial bis in den Kern unseres Wesens. Die Selbstsüchtigkeit von Genen ist eine fragwürdige Behauptung.«)

[75] Möglichkeiten der Variation im Bereich der Gene sind Gen-Austausch zwischen Organismen, Gen-Duplikation und Änderungen der DNA-Sequenz durch Mutationen. Wie bereits an früherer Stelle erwähnt, sind Mutationen eine mögliche – nicht zwingende – Ursache von Entwicklungs-

insbesondere zwischen väterlichem und mütterlichem Erbgut bei der Befruchtung stattfinden kann. Die Regulation der Gen-Aktivität und die Epigenetik erweitern das »Verhaltensrepertoire« von Genen um die Aspekte der *Kooperation* und der *Selbstmodifikation*. Variation, Rekombination, Kooperation und Selbstmodifikation beschreiben nicht nur das Repertoire von Genen, sondern von biologischen Systemen ganz allgemein.[76] Das Potenzial und die Bandbreite dieses Repertoires ist derart groß, dass Selektionsmechanismen der gegenseitigen Vernichtung, die zum Verschwinden von Spezies führen würden, keinen Hauptaspekt für das Überleben biologischer Systeme darstellen. Die Situation würde nur dann eine grundlegend andere werden, wenn sich geophysikalische oder globale klimatische Bedingungen so massiv verändern, wie es zuletzt in einem Zeitraum der Fall war, der über 65 Millionen Jahre zurückliegt. Diese Situation vor allem war es, von der Darwin beeindruckt war und auf die er seine Schlussfolgerungen bezog.[77] Die Denkmodelle des Darwinismus und der Soziobiologie sind jedoch ungeeignet, die Verhältnisse außerhalb derartiger globaler Katastrophen richtig zu beschreiben, und noch ungeeigneter, die richtigen Schlussfolgerungen aus ihnen zu ziehen. Jedermann weiß allerdings, dass wir, nachdem

störungen oder Krankheiten. Für die Annahme, dass Mutationen zur Bildung neuer Arten führen, gibt es, worauf bereits hingewiesen wurde, keinerlei wissenschaftliche Belege oder gar Beispiele (siehe dazu auch Margulis, 2002, S. 29 und 73).

[76] Siehe Margulis (1990, 1995, 1996, 2005), Agrawal (2001), Eisenberg (2005), Hiller (2004), Balon (2004).

[77] Siehe Kapitel 4.

wir zur herrschenden Spezies der Erde geworden sind und Vernichtungspotenziale bisher ungekannten Ausmaßes entwickelt haben, auch selbst in der Lage sind, ein Horrorszenario herzustellen, wie es sich vor über 65 Millionen Jahren abgespielt haben muss. Dazu keinen Beitrag zu leisten, sollte unsere Sorge gelten.

6.
Die Erforschung der Kooperation: Spieltheorie und Beziehungsanalyse

Das Leben sollte so gestaltet sein, dass sich die im Menschen angelegten Potenziale optimal entwickeln können. Die moderne Neurobiologie ließ die Konturen eines Menschen hervortreten, der von Natur aus, von den Genen bis zum Alltagsverhalten, auf Kooperation hin »konstruiert« zu sein scheint. Dies kann nicht ohne Konsequenzen bleiben für die Art, wie Menschen ihr Zusammenleben gestalten. Auf gelingende Beziehungen gerichtete Formen des Umgangs in Wirtschaft und Gesellschaft werden auf längere Sicht aber nur dann Attraktion und Überzeugungskraft entfalten, wenn die empirisch gesicherten, das heißt auf wissenschaftlichen Beobachtungen basierenden, Erkenntnisse zum Thema Kooperation vertieft und vermehrt werden. Das Problem über Jahrzehnte hinweg war, dass sich die Wissenschaften für eine Erforschung der Grundlagen von Kooperation wenig interessiert haben.[1] Dies lässt wieder einmal deutlich werden, dass sich aus dem Umstand, wo und wozu Forschung

[1] Vom Primatenforscher und Anthropologen Frans de Waal (2005) stammt die Bemerkung: »Curiously it took science a long time to take empathy seriously« (Die Wissenschaft brauchte seltsamerweise lange Zeit, Empathie ernst zu nehmen).

stattfindet, weit reichende Folgen ergeben. Neuerdings wurden im Grenzgebiet zwischen Neurobiologie, Psychologie, Wirtschaftswissenschaften und Mathematik Beobachtungen gemacht, die zeigen, dass die Erforschung kooperativen Verhaltens ein hoch interessanter Gegenstand sein kann.

Was Wissenschaft erforscht und was nicht, unterliegt nicht nur Trends, sondern auch handfesten Interessen. Auch Wissenschaftler neigen manchmal dazu, die Ostereier zu suchen, die sie zuvor selbst versteckt haben, denn einmal eingeschlagene wissenschaftliche Wege haben die Tendenz, genau die Grundannahmen zu bestätigen, die zu den Voraussetzungen gehörten, unter denen man angetreten war. Ein Beispiel hierfür sind die Grundannahmen des darwinistischen Kampfes ums Dasein: Wenn jede neue biologische Beobachtung – unter Ausblendung zahlreicher anderer, teilweise viel bedeutenderer Gesichtspunkte – *nur* darauf abgeklopft wird, welche Überlebensvorteile im Kampf ums Dasein sich aus ihr für ein biologisches System ergeben, entsteht der Eindruck einer immer besseren wissenschaftlichen Absicherung der Theorie, der zufolge der Kampf ums Überleben die steuernde Kraft der Evolution sei.[2] Dass Beobachtungen und Entdeckun-

[2] Das Gleiche gilt für die Genforschung: Unter der Annahme, dass nur die DNA-Sequenz – und sonst nichts – über die Eigenschaften eines biologischen Systems entscheidet, werden seit Jahren relativ unbedeutende Sequenzvarianten (so genannte Polymorphismen) als Ursache für psychische Störungen in den Raum gestellt (zum Beispiel für Alkoholismus, Depression, Schizophrenie, aber auch für Kriminalität etc.). Jeder neu gefundene Polymorphismus schien die (falschen) Grundannahmen zu bestätigen. Tatsächlich liegen, wie sich inzwischen zeigte, die wesentlichen Gründe für die wichtigsten Volkskrankheiten in der Gen-Regulation und in der Epigenetik.

gen in Biologie und Neurobiologie in ihrer erdrückenden Mehrzahl Beispiele für eine faszinierende Bestätigung von Kooperation und Resonanz darstellen, fällt unter den Tisch. Die Situation hat sich erst in den letzten Jahren ein wenig geändert. Und sie sollte sich weiter ändern. Wir sollten uns wissenschaftlich intensiver als bisher dafür interessieren und erforschen, welche Rolle verschiedene Formen biologischer Kooperation in der Evolution gespielt haben und wie Kooperation bei den heute lebenden biologischen Systemen, insbesondere beim Menschen, funktioniert.

Kooperation auf dem Prüfstand: Das Experimentallabor der Spieltheorie

Die Neurobiologie ist nicht der einzige wissenschaftliche Zugang zur Kooperation. Die Erforschung von experimentell hergestellten Situationen, in denen »normale Menschen« als Versuchsteilnehmer zwischen Kooperation und Nichtkooperation wählen können, führte zur Etablierung einer eigenen wissenschaftlichen Disziplin, der Spieltheorie. Sie ist keine Spaßveranstaltung im Umfeld von Spielbanken, sondern eines der wichtigsten und faszinierendsten Forschungsgebiete der Gegenwart. Methodisch angesiedelt zwischen Mathematik und Informatik, erstreckt sich ihre Relevanz von der Politik über die Wirtschaft bis hin zu Psychologie und Medizin. Für Arbeiten, welche die Anwendung der Spieltheorie im Bereich der Wirtschaftswissenschaften zum Gegenstand hatten, erhielt der deutsche Ökonom

Reinhard Selten 1994 den Nobelpreis in seiner Disziplin.[3] Eine Darstellung, die diesem anspruchsvollen Feld gerecht werden würde, kann an dieser Stelle nicht geleistet werden. Ich möchte mich darauf beschränken, auf eine Art »Urexperiment« der Spieltheorie einzugehen, und werde anschließend einige interessante, neurobiologisch und psychologisch bedeutsame Experimente aus dem neu entstandenen Gebiet der »Neuro-Ökonomie« schildern.

Eine zwischenmenschliche Situation, wie sie das Leben schreibt: Das »Gefangenen-Dilemma«

Innerhalb der Spieltheorie hat dieses Experiment bereits einen historischen Rang inne. Vielen Menschen ist es inzwischen bekannt, doch die meisten haben nach wie vor nur wenig oder noch gar nichts davon gehört: das »Gefangenen-Dilemma«. Zwei Partner haben dabei die Wahl zwischen zwei Optionen: Sie können kooperieren oder den Versuch unternehmen, den anderen zu übervorteilen. Welche Strategie erweist sich als optimal, wenn die beiden das Spiel in einer beliebig großen Zahl von Runden, das heißt »iterativ«, gegeneinander spielen? Der Politikwissenschaftler Robert Axelrod von der University of Michigan ließ sich 1981 im Rahmen eines globalen Turniers weltweit Strategien für das »Iterative Gefangenen-Dilemma« zuschicken und die eingesandten

---

[3] Der Preis wurde ihm gemeinsam mit John Nash und John Harsanyi verliehen.

Lösungen in einer Computersimulation gegeneinander spielen. Das Ergebnis dieses Großversuchs sei vorweggenommen[4]: Wenn Partner auf lange Sicht, das heißt in Serie, immer wieder neu miteinander zu tun haben, ist das beste Ergebnis mit einer Strategie zu erzielen, die 1. *primär* auf Kooperation setzt, die 2. im Falle einer Nichtkooperation des Partners die weitere Kooperation verweigert (»tit for tat« genannt, zu Deutsch: »Wie du mir, so ich dir«) und 3. in gewissen Intervallen immer wieder neue Angebote macht, zu kooperieren. Verschiedene nicht kooperative oder auf Übervorteilung des Gegners ausgerichtete Strategien waren diesem Erfolgskonzept ebenso unterlegen wie eine blind-vertrauensvolle Vorgehensweise.

Das heißt, *Kooperation erwies sich als die optimale Strategie, aber nur, wenn sie mit der Fähigkeit und Bereitschaft verbunden war, im Falle einer Nichtkooperation des Partners Gleiches mit Gleichem zu vergelten. Dies entspricht komplett der aus neurobiologischer Sicht dargestellten Konstellation*[5]*, dass das Bindungsbedürfnis an erster Stelle steht und Aggression im Dienste der Bindung fungiert.*

Wie sieht die im Gefangenen-Dilemma simulierte Situation im Detail aus? Zwei Personen werden unter dem Vorwurf, gemeinsam eine Straftat begangen zu haben, getrennt in Haft genommen. Die Höchststrafe für das in Frage stehende Vergehen beträgt fünf Jahre. Der Richter kann die Tat nicht nachweisen, es liegen ihm aber Indi-

---

[4] Robert Axelrod (1984).

[5] Siehe Kapitel 2 und 3.

zien vor, welche die beiden Personen belasten. Er teilt jedem der beiden Gefangenen, die keine Möglichkeit zur Kommunikation untereinander haben, mit, dass er folgendermaßen vorzugehen gedenke: Wenn beide die Tat geständen, werde er von der Höchststrafe absehen und beide zu vier Jahren verurteilen. Gestehe einer die Tat und der andere schweige, werde er über denjenigen, der die Aussage verweigere, die Höchststrafe von fünf Jahren verhängen, der Verräter werde zur Belohnung freigelassen. Wenn jedoch beide schwiegen, habe er genügend Indizien in der Hand und werde beide zu zwei Jahren verknacken. Die Situation ist in der Übersicht 1 nochmals schematisch dargestellt.

Übersicht 1: Gefangenen-Dilemma

	Gefangener B kooperiert (schweigt)	Gefangener B kooperiert nicht (Verrat)
Gefangener A kooperiert (schweigt)	A: 2 Jahre Haft B: 2 Jahre Haft	A: 5 Jahre Haft B: 0 Jahre Haft (straffrei)
Gefangener A kooperiert nicht (Verrat)	A: 0 Jahre Haft (straffrei) B: 5 Jahre Haft	A: 4 Jahre Haft B: 4 Jahre Haft

Wie anhand der Übersicht 1 deutlich wird, hat jede der beiden Personen A und B also die Möglichkeit, entweder nicht zu kooperieren, das heißt einen Verrat zu riskieren, oder zu kooperieren, das heißt zu schweigen. Falls einer der beiden nicht mit seinem Mitgefangenen kooperiert, das heißt falls er ihn verrät, lockt ein »Schnäppchen«

(Straffreiheit), allerdings nur, wenn der andere die Absicht hatte zu kooperieren und schweigt. Falls auch der Mitgefangene Verrat üben wollte, resultieren für beide jeweils vier Jahre Haft. Im Falle einer Kooperation mit dem Mitgefangenen (Schweigen) steht eine geringere Strafe von zwei Jahren in Aussicht, allerdings nur dann, wenn auch der Mitgefangene kooperiert (schweigt). Falls man selbst kooperieren wollte (geschwiegen hat), der Mitgefangene aber Verrat übte, dann ist man sozusagen der Dumme und erhält fünf Jahre Haft.

Gefangener zu sein mag – vordergründig betrachtet – nicht wie ein Abbild der Realität erscheinen. Dies täuscht. Dass es sich beim Gefangenen-Dilemma um ein durchaus realistisches Experiment handelt, wird deutlich, wenn man die Testsituation invers darstellt, also die Folgen des eigenen Handelns nicht in Strafmaßen, sondern in Belohnungsmengen angibt. In diesem Falle ergäbe sich folgende Situation (siehe Übersicht 2): Zwei Personen A und B erhalten einen Ausgangsbetrag von jeweils 10 Euro. Beide können gemeinsam in ein Projekt investieren (kooperieren), wodurch sich ihr eingesetzter Betrag auf jeweils 30 Euro erhöht. Jeder der beiden Partner kann aber auch versuchen, den Partner während des Projekts zu betrügen. Falls einer betrügt und der andere nicht, heimst der Betrüger 50 Euro ein, während der gutgläubige Partner sein Geld verliert. Wenn beide Partner zu betrügen versuchen, fliegt das Geschäft auf, und beide bleiben mit 10 Euro zurück.

Übersicht 2:		
	Investor B kooperiert	Investor B betrügt
Investor A kooperiert	A: 30,– € B: 30,– €	A: 00,– € B: 50,– €
Investor A betrügt	A: 50,– € B: 00,– €	A: 10,– € B: 10,– €

Anhand von Übersicht 2, die, wie gesagt, lediglich das Spiegelbild des Gefangenen-Dilemmas zeigt, wird klar, dass die Testsituation tatsächlich wesentliche Aspekte der Realität simuliert: Zu kooperieren (also gemeinsam zum Beispiel Zeit, Arbeitskraft oder Geld zu investieren) führt im Leben unter normalen Umständen zu einem Ergebnis (hier: 30 Euro), das für jeden der Beteiligten über das hinausgeht, was er/sie eingangs investiert hat (hier: 10 Euro). Der Versuch zu betrügen bringt, falls der Partner arglos ist, einen zusätzlichen Vorteil (hier: 50 Euro). Wenn der Partner aber seinerseits skrupellos agiert, führt dies zum Scheitern des Projekts und lässt einem lediglich das übrig, was man eingangs schon hatte (hier: 10 Euro). Ob in der Originalversion (Übersicht 1) oder im Spiegelbild (Übersicht 2), das Ergebnis des von Axelrod durchgeführten Megaturniers gilt für beide Varianten des Gefangenen-Dilemmas. *Die universale Erfolgsstrategie lautete: 1. Sei freundlich (sei primär und als Erster bereit zu kooperieren). 2. Schlage bei Unfreundlichkeit zurück (reagiere auf den Versuch, dich zu übervorteilen). 3. Sei nicht nachtragend (versuche es, nachdem du zurückgeschlagen hast, erneut mit Kooperation).*

»Rational choice« auf dem Prüfstand: Sind Menschen »zweckrationale Entscheider«?

Nicht immer hält sich die Realität an das, was Wissenschaftler als richtig oder logisch beschreiben: Neben Neurobiologie und Spieltheorie gilt es einen dritten wissenschaftlichen Zugang zur Frage der Kooperation zu berücksichtigen, nämlich: Wie verhalten sich Menschen *tatsächlich*? Zweifellos sind Menschen auf Zuwendung und Beziehung ausgerichtet (Neurobiologie), und gezeigt werden konnte auch, dass kooperative Strategien funktionieren (Spieltheorie). Da wir jedoch im Leben mannigfaltigen externen und internen Einflüssen unterliegen, bedeutet dies allerdings noch nicht, dass Menschen auch tatsächlich bereit oder in der Lage sind, sich kooperativer Strategien zu bedienen. Unter dem Eindruck des darwinistischen Denkens und soziobiologischer Ideologien wurde diese dritte Frage bisher dahingehend beantwortet, dass der Mensch sich, wenn er bei klarem Verstand sei, bei relevanten Entscheidungen ausschließlich entsprechend dem für ihn maximal zu erzielenden Vorteil verhalte (»rational choice«), dass er ein so genannter zweckrationaler Entscheider sei. Wie aber verhalten sich »normale Menschen« in der Realität? Zahlreiche Experimente zeigen, dass wir in Alltagssituationen *tatsächlich* kooperieren.

Alan Sanfey von der Princeton University ließ Menschen, die sich untereinander nicht kannten, als Probanden an einem Experiment teilnehmen, bei dem jeweils zwei Personen miteinander zu tun hatten[6]: Eine der bei-

---

[6] Sanfey et al. (2003).

den Personen (A) erhält vom Versuchsleiter einen Geldbetrag[7], über dessen Höhe die andere Person (B) informiert wird. Person A hat nun die freie Wahl, darüber zu entscheiden, wie sie den Betrag zwischen sich und Person B aufteilen will. Bevor aber die Verteilung des Betrags gültig werden kann, muss Person B zustimmen. Willigt sie ein, bleibt das Geld bei den beiden Teilnehmern. Lehnt B ab, geht das gesamte Geld an den Leiter des Experiments zurück, einen zweiten Versuch gibt es nicht, das heißt, das Geschäft ist dann definitiv geplatzt (aus diesem Grund erhielt das Experiment den Namen »Ultimatum Game«). Wären Menschen »zweckrationale Entscheider«, müsste Person B jeden Teilbetrag akzeptieren, der ihr von Person A angeboten wird. Die einzige Alternative, nämlich überhaupt kein Geld zu erhalten, ist unter dem Aspekt des zählbaren Vorteils *in jedem Falle* schlechter. Die Ergebnisse des Experiments belehren jedoch jeden, der es nicht schon vorher wusste, dass Menschen so nicht »funktionieren«. Testet man eine große Zahl von Normalpersonen, erhält man eine Zustimmung von Person B im »Ultimatum Game« nur dann in 100 Prozent der Fälle, wenn Person A eine 5:5-Verteilung vorgeschlagen hat. Ein Vorschlag 7:3, der Person B also nur drei von zehn Dollar zugesteht, findet nur noch in etwas über 90 Prozent der Fälle Zustimmung. Bei einer Zuteilung 8:2 (Person B erhält nur zwei von zehn Dollar) fällt die Zustimmung auf etwa 50 und bei einer Verteilung 9:1 auf 40 Prozent ab. Das heißt, im letztgenannten Fall haben sich 60 Prozent *nicht* »zweckrational« verhal-

[7] Zum Beispiel 10 Dollar.

ten, denn ein Dollar ist mehr als überhaupt kein Geld. *Warum* die in Position B befindlichen Personen das Geld nicht haben wollten, zeigten Darstellungen der Hirnaktivität[8], die Alan Sanfey und seine Kollegen in dem Moment anfertigten, wenn Person B ein unfaires Angebot ablehnte: Deutlich zeichneten sich Signale in einem Bereich ab, der typischerweise dann aktiv wird, wenn Menschen Ekel empfinden![9] Das Gehirn verachtet nichtkooperative Unfairness nicht nur, es möchte sie sogar bestraft sehen. Dies zeigte eine Untersuchung der Neurobiologin Tania Singer.[10]

Die beiden US-Forscher Robert Kurzban und Daniel Houser untersuchten es andersherum. Sie beobachteten, wie sich Normalpersonen in einer Situation verhalten, in der sie in ein gemeinschaftliches Unternehmen investieren können, wobei sie die Möglichkeit haben, entweder solidarisch zu agieren oder die anderen Teilnehmer zu übervorteilen.[11] Dabei zeigte sich, dass 76 Prozent aller Probanden ein kooperatives Verhalten wählten. Die Teilnehmer waren mit folgendem Dilemma konfrontiert: Sie erhielten einen Geldbetrag[12], den sie nach dem Experiment behalten durften, den sie allerdings zuvor im Rahmen des Experiments investieren und potenziell vermeh-

[8] Die Methode war die funktionelle Kernspintomographie.

[9] Begleitende Aktivität zeigte sich auch im obersten Emotionszentrum (Anteriorer Cingulärer Cortex, ACC) und im frontalen Cortex, dessen Netzwerke aktiv werden, wenn überdachte Entscheidungen gefällt werden müssen.

[10] Singer et al. (2006).

[11] Siehe Kurzban und Houser (2005).

[12] Zum Beispiel 50 Dollar.

ren konnten. Dazu wurde jede Person einer Gruppe von vier Teilnehmern zugeordnet: Jeder Teilnehmer hatte die Möglichkeit, einen Teil seines Betrags in einen gemeinsamen Topf zu geben. Die individuell geleisteten Einzahlungen blieben gegenüber den anderen Teilnehmern der Vierergruppe vertraulich. Nach Abschluss der Einzahlungen wurde nach jeder Runde – dies war vorher angekündigt worden – die Gesamtsumme, die alle Teilnehmer in diesen Topf eingezahlt hatten, vom Leiter des Experiments verdoppelt und dann *zu gleichen Teilen* an alle vier Teilnehmer verteilt. Damit war klar: Wenn alle reichlich einzahlen (kooperieren), kann ein beträchtlicher Mehrwert zustande kommen, der allen zugute kommt.[13] Wer viel einzahlt, geht allerdings das Risiko ein, dass andere Teilnehmer, die eventuell wenig oder gar nichts in den Topf gegeben haben (die also nicht kooperieren), vom gemeinsamen Mehrwert profitieren, ohne selbst einen fairen Beitrag geleistet zu haben. Dies kann dann andererseits dazu führen, dass Teilnehmer, die viel eingezahlt haben, Geld verlieren. Das Spiel wurde nun über mehrere Runden gespielt. Die Teilnehmer konnten, nachdem sie über die jeweiligen Rückzahlungen informiert worden waren, in der nächsten Runde ihren Einsatz neu bestimmen. Unter einer großen Zahl von Teilnehmern identifizierten Kurzban und Houser drei Typen von Menschen: 63 Prozent waren Personen, die kräftig in den Gemeinschaftspool investierten, ihre Einzahlungen aber deutlich reduzierten, wenn sie feststellen mussten, dass sich andere Teilnehmer mit

---

[13] Aus diesem Grund wurde das Experiment als »Public Good Game« bezeichnet, als »Gemeinschaftswohl-Spiel«.

ihren Geldeinlagen zurückhielten. Diese 63 Prozent verzichteten aber darauf, durch gezielt niedrige Einzahlungen ihre Partner in der Folge zu übervorteilen. 13 Prozent waren gutmütige Personen, die konstant hohe Einzahlungen leisteten.[14] 20 Prozent der Teilnehmer versuchten allerdings, sich durch konstant niedrige Einzahlungen einen Vorteil zu Lasten ihrer Mitspieler zu verschaffen.[15] Dies bedeutete: Die zur ersten und zweiten Gruppe gehörenden Teilnehmer bildeten eine Population von 76 Prozent, die eindeutig auf Kooperation eingestellt war. *Mehr als drei Viertel aller »normalen Menschen« wählen also ein primär kooperatives Vorgehen.* Es geht allerdings noch besser: Eine Arbeitsgruppe um Bettina Rockenbach von der Universität Erfurt konnte kürzlich zeigen, dass sich der Anteil der Kooperatoren unter gleichen Bedingungen auf über 90 Prozent erhöhen lässt, wenn die Teilnehmer die Möglichkeit haben, nichtkooperative Partner, die ihre Mitspieler übervorteilen wollen, mit kleinen Geldstrafen zu belegen.[16]

---

[14] »Hohe Einzahlungen« waren definiert als Investitionen, die in ihrer Höhe die durchschnittlichen Einzahlungen aller Teilnehmer um mehr als 50 Prozent überschritten.

[15] Als »niedrig« definiert waren Investitionen, die den Durchschnittsbetrag der Einzahlungen aller Teilnehmer um mehr als 50 Prozent unterschritten. 4 Prozent der Teilnehmer konnten nicht eindeutig einem der drei Typen zugeordnet werden.

[16] Özgür Gürerk et al. (2006), siehe dort Figur 3. Merkwürdig an dieser sonst hervorragenden Arbeit ist der Versuch, einen Wettkampf zu konstruieren zwischen »sanctioning institutions« (Institutionen mit Kooperation, in denen Nichtkooperation bestraft wird) einerseits und »sanction free institutions« (Institutionen mit Kooperation, in denen keine Bestrafungen stattfinden) andererseits. Unklar bleibt, welchen Sinn diese Wiedereinführung Darwins durch die Hintertür machen soll. Es ist, als würde man 1. zunächst

Der Wunsch, Zuwendung zu bekommen, das Suchen nach Kooperation und die Fähigkeit zur Empathie sind bereits beim Kind biologisch angelegte Grundtendenzen, die sich auch dann zeigen, wenn dadurch zu erzielende materielle Vorteile keine Rolle spielen. Michael Tomasello, derzeit Direktor des Max-Planck-Instituts für Anthropologie in Leipzig, konnte kürzlich experimentell nachweisen, dass Kleinkinder bereits im Alter von achtzehn Monaten von sich aus – ihren Möglichkeiten entsprechend – Hilfe leisten, wenn sie erkennen, dass eine erwachsene Versuchsperson bei einer Tätigkeit allein nicht zurechtkommt. Der Impuls zur Hilfeleistung trat auf, obwohl es sich bei den Personen, denen die Kinder spontan halfen, nicht um Familienangehörige handelte und obwohl den Kindern Belohnung weder in Aussicht gestellt noch gewährt wurde.[17]

Das »Rational-choice«-Modell hat sich als definitiv falsch erwiesen. Der Schaden, der mit dem Modell in Un-

---

wissenschaftlich untersuchen, wie Eltern ihrem durch einen Sturz verletzten Kind helfen, dann 2. entdecken, dass andere Eltern dies durch eine Zusatzmaßnahme noch besser machen können, und 3. dies dann unter dem Aspekt des Wettbewerbsvorteils (des »competitive advantage«) *gegeneinander* stellen. Damit befindet man sich wieder in jener darwinistischen Denkfalle, deren Un-Sinn inzwischen mehr als offenbar ist und aus der wir *als Wissenschaftler* herauskommen sollten. Eltern helfen ihren Kindern nicht wegen des »competitive advantage«, sondern weil sie (und die Kinder) Bindungen brauchen. Dass wir damit eventuell auch unsere Überlebenschancen verbessern, ist ein möglicher positiver Effekt, den man durchaus wissenschaftlich evaluieren sollte. Es geht dabei aber nicht um einen »competitive advantage«, es sei denn, wir machen es dazu.

[17] Siehe Felix Warneken und Michael Tomasello (2006). Interessanterweise leisten auch Menschenaffen, wie Tomasello in einer weiteren Untersuchung zeigen konnte, gegenseitige Hilfe (Melis et al., 2006).

ternehmen, aber auch in der Pädagogik und weiteren wichtigen gesellschaftlichen Bereichen angerichtet wurde, ist erheblich. Menschen sind keine »zweckrationalen Entscheider«, sie ziehen kooperatives Vorgehen einzelkämpferischen Strategien vor. Die Wissenschaft gibt ihnen dabei Recht. Probleme lassen sich durch gemeinschaftliches Vorgehen erwiesenermaßen besser lösen als durch individuelle Strategien: In einem Experiment identifizierte man innerhalb einer Gruppe anhand von Tests, wer die begabtesten Mitglieder sind. Dann ließ man sie – jeweils einzeln – eine Aufgabe lösen und verglich die Ergebnisse mit den Resultaten, die sich durch eine *gemeinsame* Arbeit innerhalb der Gruppe (unter Einschluss der begabten Einzelpersonen) erzielen ließen: Regelmäßig war es die Gruppe, die besser abschnitt.[18] Dies sollte nicht als Argument gegen individuelles Arbeiten, sondern als Hinweis für die Produktivität kooperativer Strategien verstanden werden. Bessere Resultate durch Kooperation wären per se auch kein Argument gegen, sondern eher für das »Rational-choice«-Modell. Das Modell des Menschen als eines »zweckrationalen Entscheiders« ist vor allem deshalb falsch, weil es den im Menschen verankerten Wunsch, vertrauensvoll zu agieren und gute Beziehungen zu gestalten, außer Acht lässt.

[18] Siehe Laughlin et al. (2006).

Wo Vertrauen entsteht: Die »zwischenmenschliche Beziehung« als Forschungsgegenstand

Wenn Anerkennung, Zugewandtheit und Vertrauen der *neurobiologische* Treibstoff der Motivationssysteme sind: Woher kommt dieser Treibstoff? Es bedarf keiner tiefgründigen Analysen, um zu erkennen, dass er dem Menschen weder auf dem Tablett serviert noch frei Haus geliefert wird. Er stammt aus nur einer Quelle: der zwischenmenschlichen Beziehung. Damit stellt sich die Frage, wie sich diese Quelle zum Sprudeln bringen lässt. Hier wäre nicht der richtige Ort, eine weitschweifige »Beziehungslehre« zu entwickeln. Vieles zum Thema Beziehung habe ich bereits an anderer Stelle ausgeführt.[19] Der Frage, was die wichtigsten Komponenten einer Beziehung sind, sollte dessen ungeachtet eine kurze Betrachtung gewidmet werden, die in pragmatischer Weise die wesentlichen Voraussetzungen für das Gelingen einer Beziehung oder eines kooperativen Projekts beschreibt: 1. *Sehen und Gesehenwerden*[20], 2. *gemeinsame Aufmerksamkeit* gegenüber etwas Drittem, 3. *emotionale Resonanz*, 4. *gemeinsames Handeln* und 5. das wechselseitige *Verstehen von Motiven und Absichten*. Keine dieser fünf Voraussetzungen ist banal, was allein schon daran deutlich wird, dass Beziehungen – ob am Arbeitsplatz, im Freundeskreis oder in der Partnerschaft – bereits bei dau-

---

[19] Siehe Joachim Bauer: »Das Gedächtnis des Körpers« (2004) und: »Warum ich fühle, was du fühlst« (2005).

[20] Damit ist nicht nur die optische Wahrnehmung gemeint, obwohl wir Menschen uns über diesen »Kanal« sehr stark wahrnehmen. Mit »Sehen« ist hier allgemeiner das »Wahrnehmen« gemeint.

erhaftem Ausfall nur einer dieser Komponenten scheitern können.

Erste Voraussetzung für Beziehung ist *Sehen und Gesehenwerden*: Menschen wollen – auch aus neurobiologischer Sicht –, dass man sie als Person wahrnimmt.[21] Wenn sie dies spüren, erzeugt allein dieser Umstand Motivation. Nichtbeachtung ist ein Beziehungs- und Motivationskiller und Ausgangspunkt für aggressive Impulse.[22] Jemanden wie eine(n) unter vielen zu behandeln, erzeugt keine Beziehung. Allerdings wird, wer nicht gesehen werden will, wer – meist einem unbewussten Schema folgend – die Deckung sucht, sich um Unauffälligkeit bemüht, auch tatsächlich nicht gesehen. Zum Gesehenwerden gehört daher auch die Bereitschaft, sich als Person zu erkennen zu geben, offen zu sein und zu sich selbst zu stehen. Nicht nur man selbst wird dann besser wahrgenommen. Wer selbst offen ist, kann zugleich auch andere besser wahrnehmen.

Das zweite Ingredienz für Beziehung ist die *gemeinsame Aufmerksamkeit*: Sich dem zuzuwenden, wofür sich eine andere Person interessiert, ist die einfachste Form der Anteilnahme und hat ein erhebliches Potenzial, Verbindung herzustellen. Unser Alltag ist voller Beispiele: Eine Kollegin (oder Mitarbeiterin) möchte einen Kollegen (oder Vorgesetzten) auf eine Unterlage hinweisen, in der ihr etwas bedeutsam erscheint. Geht er auf diesen Hinweis nicht ein, wird ein solches Verhalten als Geringschätzung erlebt. Vorgesetzte, die in Besprechungen nicht

---

[21] Siehe dazu Kapitel 2 und außerdem nochmals Honneth (1992).

[22] Siehe Kapitel 3.

konzentriert zuhören können, was Mitarbeiter vorbringen, verlieren deren Loyalität. Nichts anderes passiert bei Paaren: Sie findet etwas hinreißend und möchte den Partner darauf hinweisen (oder umgekehrt), er (oder sie) blickt aber nicht einmal auf. Jemandem, der sich um einen anderen Menschen bemüht, würde dies nicht passieren.

Drittes Beziehungselement ist die *emotionale Resonanz*, also die Fähigkeit, zu einem gewissen Grade auf die Stimmung eines anderen einzuschwingen oder andere mit der eigenen Stimmung anzustecken. Resonanz lässt sich nicht erzwingen, sie ist aber in einer Beziehung – gleich welcher Art – ein überaus verbindendes, hochgradig motivierendes Element. Wem diese Fähigkeit nicht von Natur aus geschenkt ist, kann durch etwas innere Achtsamkeit zumindest verhindern, dass durch *Nicht*beachtung dieses Elements in Beziehungen Schaden entsteht. Einer Kollegin, die gerade vom Tod ihres Haustieres berichtet, unvermittelt und in trockenem Ton zu sagen, dass wir schließlich alle einmal sterben müssen, wäre ein Beispiel fehlender Resonanz.

Viertes Element von »Beziehung« ist das *gemeinsame Handeln*: Etwas ganz konkret miteinander zu machen, ist ein meist völlig unterschätzter, tatsächlich aber in hohem Maße Beziehung stiftender Aspekt. Bei einer Aktion selbst mit anzupacken, mit seinen Kollegen, dem Partner oder mit Kindern ganz konkret etwas zu unternehmen – und dies nicht zu delegieren –, hinterlässt ein nachhaltiges Beziehungs-Engramm. Dies ist auch der Grund, warum sich Bequemlichkeit mit guter Beziehungsgestaltung grundsätzlich schlecht verträgt. Sich für eine Beziehung nicht in Bewegung setzen zu wollen, wird von anderen – siehe den im zweiten Kapitel dargestellten Zusammenhang zwischen Bewegung und Motivation – zu Recht als Zeichen fehlender Motivation erkannt.

Fünftes der Beziehungselemente – und gewissermaßen die »Königsklasse« der Beziehungskunst – ist das *Verstehen von Motiven und Absichten*: Es gelingt meist nur dann, wenn auch die anderen vier Komponenten eingelöst sind. Verstehen erfordert ein immer wieder neues Nachdenken. Zu den verständlichen, aber nachteiligen Sparmaßnahmen unseres Gehirns gehört, dass es sich das immer wieder neue Verstehen erspart und stattdessen anderen Menschen Motive und Absichten nach einem *Schema* unterstellt, das auf früheren typischen Erfahrungen beruht. Das Ergebnis im Hinblick auf *aktuelle* Beziehungen ist dann nicht selten verheerend. Riesige Motivationspotenziale werden oft nur deshalb nicht ausgeschöpft, weil Einschätzungen anderer Menschen vorgenommen wurden, ohne sie zu verstehen. Motive, Absichten, Vorlieben oder Abneigungen richtig zu erkennen und anzusprechen, ist entscheidende Voraussetzung dafür, bei anderen Potenziale zu entfalten. Um jemanden zu verstehen, bedarf es nicht nur einer guten Beobachtungsgabe und intuitiver Fähigkeiten, sondern vor allem auch des Gesprächs.[23]

---

[23] Beziehungskompetenz kann auf vielerlei Weise trainiert werden, zum Beispiel in Supervisionsgruppen oder in Führungsseminaren. Die intensivste Art, Defizite im Bereich Beziehungskompetenz aufzuholen, ist die Psychotherapie. Sie bietet die Möglichkeit, in einem durch Vertraulichkeit geschützten Rahmen auch heikle oder durch Schamgefühle belastete Themen anzusprechen.

Ungleichgewichte in Beziehungen: Das Erfordernis der Komplementarität

Ein weiterer wichtiger Aspekt von Beziehungen, der bei allen fünf oben genannten Komponenten eine maßgebliche Rolle spielt, ist Wechselseitigkeit bzw. Komplementarität. Jede Beziehung sollte ein zweispuriger Weg sein. Die »Gegenspur« im Auge zu behalten heißt, den anderen zu sehen, ihm dies auch zu zeigen, ein Stück weit seine Befindlichkeit zu erkennen und sich auf ihn einzulassen. Dies kann es mir ermöglichen zu verstehen, wohin er will und was seine Motive sind. Auf der eigenen Spur des Weges sollte sich aber – dies ist durchaus nicht immer der Fall! – ebenfalls jemand befinden: man selbst. Auch man selbst sollte darauf achten, gesehen, das heißt als Person erkannt zu werden, auch man selbst wünscht sich Interesse, Anteilnahme und möchte das Gefühl haben, andere bemühen sich darum, dass man verstanden wird. Dazu muss man selbst einen aktiven Beitrag leisten: Man muss den Mut haben, zu signalisieren, was man will und welche Vorstellungen und Absichten man hat. Man könnte den beiden Spuren einer Beziehung einen Namen geben. Die Gegenspur repräsentiert das Verstehen, die eigene Fahrspur bedeutet Man-selbst-Sein und zu seinen Überzeugungen stehen. Wenn die »eigene Spur« etwas breiter ist, kann sie auch Ausstrahlung beinhalten. Viele Menschen stecken in dem Dilemma – und das ist zugleich eine der Hauptursachen für nicht gelingende Beziehungen –, dass sie nur einspurig fahren. »Dauer-Versteher« sind ganz mit der Gegenspur beschäftigt, deren Bedürfnisse sie ergründen, auf die sie so viel wie möglich Rücksicht nehmen, vor denen sie nicht selten im Grunde auch Angst haben. »Selbst-Spezialisten« dagegen sind unfähig, die Gegenspur zu sehen und andere zu verstehen. Einige sind blind für die Gegenspur, weil sie von sich selbst so begeistert sind, dass sie meinen, alle anderen müssten das auch sein. Andere »Selbst-Spezialisten« sind deshalb blind, weil sie Angst vor Gefühlen haben und sich aus diesem Grund nicht auf einen anderen Menschen einlassen können, weshalb sie sich in einer Art Autismus ganz auf sich oder ihre meist hochgradig rationalen oder verkopften Projekte zurückziehen. Unnötig zu betonen, in welchem der beiden Geschlechter sich mehr »Dauer-Versteher« und in welchem sich mehr »Selbst-Spezialisten« finden. Diese Geschlechtsverteilung sollte nicht so sein, und sie muss auch nicht so sein.[24] Personen beiderlei Geschlechts sollten bei der Gestaltung ihrer Beziehungen immer beide Spuren in Gebrauch haben. Einspurige Beziehungsarrangements müssen – ob im

24 Für eine neuerdings wieder angestoßene Debatte um die Forderung, dass Frauen sich – mehr als Männer – um das Verstehen, das Herstellen und Erhalten von Beziehungen kümmern sollten, gibt es keinerlei wissenschaftliche Begründung. Dass Männer in einigen beziehungsrelevanten neurobiologischen Parametern scheinbar »schlechter« abschneiden, kann kein Grund sein, sie von der Chance und Verantwortung auszuschließen, stärker an der Gestaltung von Beziehungen mitzuwirken. Möglicherweise herrscht in unserem Lande – wohl als Spätfolge der »Vaterlosigkeit« aufgrund zweier Kriege – ein Mangel an sich kümmernden, verstehenden, beziehungskompetenten Männern. Dieses Defizit spüren vor allem die Söhne. Von den hohen Raten von scheiternden männlichen Jugendlichen sollten sich vor allem die Väter angesprochen fühlen. Eine der ältesten Kulturen der Welt, das Judentum, verdankt seine Erfolge meines Erachtens zu einem Großteil der Tatsache, dass sich dort Väter in einem weit höheren Maße als in unserer Kultur um ihre Kinder kümmern.

Beruf oder im Privatleben – auf lange Sicht scheitern, oder sie lassen einen der beteiligten Partner krank werden. Warum das so ist, ergibt sich aus den im zweiten Kapitel aufgezeigten Zusammenhängen.

Schlussfolgerungen: Gelingende Beziehungen als zentrales Kriterium menschlichen Zusammenlebens

Die Gestaltung eines auf gelingende Beziehungen zielenden gesellschaftlichen Zusammenlebens hat nicht nur zur Voraussetzung, dass kooperative Strategien weiterhin wissenschaftlich erforscht werden. Ebenso wichtig ist, dass jeder Einzelne seine von Natur aus darauf ausgerichtete Anlage selbst schult und kultiviert. Dort, wo Menschen – zum Beispiel als Führungspersonal, in der Medizin, in der Schulpädagogik, in der Psychotherapie, in der Seelsorge – Verantwortung für andere tragen, sollte die Fähigkeit, Beziehungen zu gestalten, zur Meisterschaft entwickelt sein.[25] Davon sind wir weit entfernt. Hauptgrund dafür ist eine auf maximale Kapitalverzinsung, die Wahrung individueller Vorteile und kurzfristige Ausbeutung menschlicher Ressourcen eingeengte gesellschaftliche Ideologie.[26] Dazu passt, dass der Erwerb von Beziehungskompetenz in den Ausbildungsgängen der Wirtschaft, der Medizin und der Pädagogik kaum eine

---

[25] Einen entscheidenden Beitrag dazu haben die psychotherapeutischen Wissenschaften zu leisten.

[26] Geisler (2004).

Rolle spielt. Hinzu kommt, dass Ausbildungsstätten, in denen man sich in Beziehungskompetenz qualifizieren kann, nicht leicht zu finden sind. Leider gibt es auf dem Markt der »Führungsberatung«, des »Personalführungstrainings«, des »Coaching« etc. sehr viele unqualifizierte Anbieter. Die beste Expertise auf dem Gebiet der Beziehungskompetenz haben zweifellos psychotherapeutisch geschulte Mediziner und Psychologen. Einzelpersonen, die ihre Kompetenzen im Bereich Beziehungsgestaltung verbessern wollen, können dies derzeit am besten im Rahmen von durch Experten geleiteten Supervisionsgruppen oder einer Einzelberatung tun.[27]

[27] In beiden Fällen sollte man darauf achten, dass der Experte/die Expertin, dem/der man sich anvertraut, über eine seriöse psychotherapeutische Qualifikation verfügt. Den wissenschaftlichen Nachweis der Effektivität konnten vor allem die Psychotherapieschulen mit tiefenpsychologisch/psychoanalytischer, mit verhaltenstherapeutischer und mit familientherapeutisch-systemischer Ausrichtung leisten (siehe unter anderem Leichsenring et al., 2004).

7. Kooperation als gesellschaftliches Projekt

Sollte jemand vorschlagen, kooperative Strategien zu einem gesellschaftlichen Projekt zu machen, würde man zu Recht einwenden, dass es für neue Entwürfe einer idealen Gemeinschaft keinen Bedarf gibt. In der Tat hat die Menschheit, wie bereits an früherer Stelle erwähnt, solche Entwürfe in zwei großen Menschheitsexperimenten durchexerziert. Das auf Karl Marx' Schriften aufbauende Gesellschaftsexperiment war – jedenfalls in seinen »real existierenden« Varianten – keine Erfolgsgeschichte und ging in unseren Breiten im Jahre 1990 zu Ende. Das auf Charles Darwins Spekulationen basierende Experiment, das ich für die Jahrzehnte zwischen 1860 und 1930 nachgezeichnet habe, verlief nicht viel überzeugender, von den katastrophalen Entwicklungen ganz zu schweigen, zu denen es nach 1930, unter Hinzutreten weiterer wichtiger Faktoren, mit beigetragen hat.[1] Auf dem Denken Darwins fußende Strategien haben – nicht zuletzt durch den Einfluss der Soziobiologie – keineswegs abgedankt, im Gegenteil.

Einige große Länder haben den Darwinismus – ohne es ausdrücklich so zu formulieren – gleichsam zum Staats-

---

[1] Diese Sicht wird durch die neuere historische Forschung gestützt. Siehe die hervorragende Analyse des Historikers Richard Weikart (2004).

ziel erhoben. Computer-Übungsspiele, die einst in den Armeen dieser Länder entwickelt wurden, um Soldaten ans Töten zu gewöhnen, überschwemmen heute als »Ego-Shooter-Spiele« – auch »Killerspiele« genannt – weltweit den Markt für Kinder und Jugendliche. Hier gilt wieder, was bei uns in den Jahrzehnten vor 1933 und erst recht in den Jahren danach gelehrt wurde: »Leben heißt kämpfen.« Was Jugendliche, die sich teilweise viele Stunden am Tag – und dies über Jahre hinweg – solchen Spielen hingeben, dabei lernen, wird in ihren Köpfen nicht nur zu einem neurobiologischen Skript. Es erzeugt Handlungsbereitschaften, die in Situationen der Bedrängnis möglicherweise auch abgerufen werden.[2]

Sprengstoff enthält aber auch das, was die soziobiologische Denkschule seit Jahren in die Köpfe der Wissenschaftler einfließen lässt. Wenn wir das Bild einer Natur zeichnen, in der Gene kämpfende Akteure und Lebewesen lediglich ihre »Kampfmaschinen« sind, dann sind wir Wissenschaftler – wie schon in den Jahrzehnten vor 1930 – erneut dabei, mit einer ebenso dummen wie falschen wissenschaftlichen Rechtfertigung den roten Teppich für entsprechende gesellschaftliche Strategien auszurollen. Das Rezept kann dann nur noch »Konkurrenzkampf und Auslese« lauten, sei es in der Schule, an den Universitäten oder im Arbeitsleben.[3]

---

[2] Siehe Joachim Bauer: Warum ich fühle, was du fühlst (2005).

[3] Nicht zuletzt leistet die Soziobiologie, auch wenn sich ihre Vertreter entsetzt davon distanzieren, faktisch auch einen Beitrag zu neuen, wissenschaftlich verbrämten rassistischen Strategien, wie sie sich in den Arbeiten von Richard Herrnstein, Charles Murray, Arthur Jensen oder Philippe Rushton ausdrücken (siehe dazu unter anderem Christian Stöcker, 2005).

Auf Wettstreit der angeblich Tüchtigsten, auf Auslese und Neoliberalismus[4] getrimmte Konzepte sind neuerdings wieder en vogue. Erwiesenermaßen sind es – auf die Gesellschaft als Ganzes bezogen – nicht die Gene, die den Unterschieden zwischen Menschen verschiedener gesellschaftlicher Schichten zugrunde liegen.[5] Zu Bildung, Arbeit und einem menschenwürdigen Leben gelangen in solchen Modellen daher nicht die genetisch »Besseren«, sondern nur diejenigen, die sich aufgrund ihrer Herkunft, durch Glück oder mit einem ausreichenden Maß an Skrupellosigkeit im Kampf ums Dasein auf Kosten anderer durchzusetzen wissen. Manche Länder, die neoliberale Modelle realisieren, erscheinen vordergründig als erfolgreich, allerdings nur deshalb, weil die gesellschaftlichen, wirtschaftlichen und menschlichen Kosten, die mit einem solchen »Erfolg« verbunden sind, weder in volkswirtschaftlichen Bilanzen noch in der öffentlichen Wahrnehmung auftauchen.[6] Wegen der bei näherer Betrachtung

---

[4] Als »neoliberal« wird eine Wirtschafts- bzw. eine staatliche Ordnungspolitik bezeichnet, die Wirtschaftsunternehmen einen maximalen Freiraum lässt. Umweltaspekte, soziale Gesichtspunkte, Verpflichtungen zur Ausbildung (Lehrstellen), Aspekte der Stadt- und Landschaftsplanung gelten als »Hindernisse«. Siehe dazu nochmals Geisler (2004).

[5] Siehe dazu eine interessante wissenschaftliche Studie von Holtzman (2005).

[6] Wie wir in unseren Ländern erst langsam und mit naiver Verwunderung festzustellen beginnen, nähern sich zum Beispiel unsere Analphabetismusraten, aber auch insgesamt die Prozentzahlen chancenloser Jugendlicher samt den sich daraus ergebenden gesellschaftlichen Verwerfungen langsam denen an, wie sie etwa in den USA seit langem festzustellen sind.

nur auf kleine Eliten beschränkten »Erfolge« wurden gesellschaftliche Modelle, in denen Strukturen für Kooperation unterentwickelt sind oder fehlen, bei uns – und in anderen Ländern – groteskerweise als nachahmenswert dargestellt und auch imitiert. Das Ergebnis ist derzeit ein weltweiter destruktiver Prozess, der natürliche, wirtschaftliche und menschliche Ressourcen vernichtet. Umso problematischer ist es, wenn sich solche selbstzerstörerischen Strategien auf pseudowissenschaftliche, auf Darwin basierende Denkschulen berufen können, die in der Biologie, Medizin und den Gesellschaftswissenschaften stark vertreten sind und im Wesentlichen die ideologischen Konzepte und Empfehlungen der Soziobiologie wiedergeben.

Der Mensch ist – dies ergibt sich aus dem, was in diesem Buch dargestellt wurde – nicht für gesellschaftliche Modelle »gemacht«, in denen Kampf und Auslese vorherrschen. Es wird deutlich, dass ein gesellschaftliches Projekt, das Kooperation zur Grundlage und zum Ziel hat, pragmatische, das heißt in der konkreten Realität unseres gesellschaftlichen Lebens gangbare Strategien erarbeiten und aufzeigen sollte. Was dies in konkreten Feldern unseres Alltags bedeutet, kann nicht »ex cathedra« verkündet werden[7], sondern muss – dies wäre bereits ein erster zentraler Aspekt von Kooperation als gesellschaftlichem Projekt – im Rahmen eines Dialogs immer wieder neu erarbeitet werden. Dieser Dialog kann jedoch nicht beliebig sein, sondern muss Kooperation als zentrales Element

---

[7] Vom Papst »ex cathedra« gesprochene Worte sind letztgültige, unter das Unfehlbarkeitsdogma fallende Verlautbarungen.

einer gesellschaftlichen Wertordnung verankern. Eine auf Kooperation aufgebaute Ordnung muss die Freiheit des Einzelnen bewahren, sie muss Kreativität und Produktivität nicht nur zulassen, sondern fördern. Sie muss wirtschaftlich »funktionieren«, das heißt ihre Ausgaben erwirtschaften. Sie muss Bildung und professionelle Kompetenz fördern. Sie muss die Schwachen schützen und unterstützen, gleichzeitig aber über Regeln und Sanktionen verfügen, die sicherstellen, dass Vorzüge, die sich aus kooperativen Strukturen ergeben, gegen Missbrauch und Ausbeutung wirksam geschützt werden. Oberste Maxime muss jedoch sein, dass Kooperation und Menschlichkeit vor maximaler Rentabilität rangieren.

Kooperative Beziehungen im Wirtschaftsleben: Kollegialität und ethisches Management

Gelingende Beziehungen und Kooperation erzeugen Motivation. Für professionelle Führung, die Gestaltung eines guten, kollegialen Klimas und Effizienz sind drei Gesichtspunkte von Bedeutung: 1. Die Basis von *Motivation als Grundhaltung* ist die übergeordnete gesellschaftliche Sinnhaftigkeit dessen, was geleistet wird.[8] 2. Maßgeblich für die vom einzelnen Beschäftigten aufgebrachte *Motivation hier und jetzt* ist die *aktuelle* Gestaltung von Beziehungen

[8] Nach den 2006 vorgelegten Daten der repräsentativen Studie »INQA« (Initiative Neue Qualität der Arbeit) ist es für 45 Prozent der abhängig Beschäftigten wichtig, dass ihre Arbeit sinnvoll ist. Die INQA-Studie wurde bzw. wird gemeinsam von Bund, Ländern und den Sozialpartnern getragen (siehe www.inqa.de).

am Arbeitsplatz.[9] 3. Gute Beziehungen am Arbeitsplatz, Fairness und erlebtes Vertrauen haben nicht nur motivierende, sondern auch eine gesundheitsstabilisierende Wirkung. Ein durch Transparenz, faires Verhalten und dosiertes Vertrauen geprägter Führungsstil hat positive Auswirkungen auf die psychische und körperliche Gesundheit von Mitarbeitern und ist zugleich Voraussetzung für die Erzeugung von Motivation.[10] Erlebte Unfairness dagegen zerstört bei Mitarbeitern Loyalität und erzeugt stattdessen Aversion und Aggression.[11]

Der Zusammenhang zwischen der Gestaltung von Beziehungen und Motivation findet sich nicht nur im Hier und Jetzt. Er spielt, wie unter Punkt 1 erwähnt, auf einer Metaebene auch eine übergeordnete Rolle. *Motivation als Grundhaltung* wird in nicht geringem Maße auch dadurch beeinflusst, ob Menschen das Gefühl haben, dass ihre Arbeit bzw. das, wofür sie arbeiten, *grundsätzlich* sinnvoll ist. »Sinnvoll« aus dem Blickwinkel der Motivation ist ein wirtschaftliches Unternehmen dann, wenn es letzten Endes der Gesellschaft nützenden, das heißt kooperativen Zielen dient.[12] *Dass in den meisten Unter-*

---

[9] Laut INQA-Studie betrachten es 84 Prozent der abhängig Beschäftigten als bedeutsam, von Vorgesetzten nicht nur als Arbeitskraft, sondern auch als Mensch wahrgenommen und beachtet zu werden (www.inqa.de).

[10] Siehe Kurzban und Houser (2005); Gürerk et al. (2006).

[11] Siehe Sanfey et al. (2003); Zak et al. (2005 a und b); Singer et al. (2006).

[12] Gesellschaftliche Sinnhaftigkeit kann sich auf vielerlei Aspekte eines Unternehmens beziehen, zum Beispiel auf die Qualität und Nützlichkeit der Produkte, auf Aspekte der Umweltverträglichkeit, auf Ausbildungsbemühungen gegenüber jungen Menschen oder auf Aspekte der Schaffung bzw. Erhaltung von Arbeitsplätzen. Sinnhaftigkeit als »Corporate Identity«

nehmen darauf verzichtet wird, diesen Aspekt zu reflektieren, ihn zu einem Teil der »Corporate Identity« zu machen und dadurch Motivation zu verstärken, spiegelt die Sinnentleerung wider, die Betriebe prägt, in denen die Kapitalverzinsung das einzige Ziel des Wirtschaftens geworden ist. Wo die Frage eines übergeordneten Sinns des Wirtschaftens von der Führungsebene im Auge behalten wird, lassen sich insbesondere dann Potenziale aktivieren, wenn in einem Unternehmen Krisen oder vorübergehende Härtephasen überbrückt werden müssen. Überzeugend und nachvollziehbar dargelegt zu bekommen, *warum* eine kurzfristig unangenehme Entscheidung gefällt werden musste, kann ein entscheidender Motivationsimpuls sein. Voraussetzung für das Gelingen eines solchen Impulses ist, dass die entsprechenden Erklärungen – und die hinter ihnen stehenden Personen – nicht manipulativ agieren (dies würde nur zu schnell erkannt und hinterlässt dann bleibenden Vertrauensverlust), sondern als ehrlich und vertrauenswürdig gelten können. Ein Führungsstil, der in diesem Sinne kooperative Strategien verfolgt, kann einen beachtlichen Beitrag zu erfolgreichem Wirtschaften leisten. Exzellente Führungspersönlichkeiten[13] haben sich einer in diesem Sinne »guten Führung« mit großem Erfolg bedient.

Gute Führung kann – auch aus neurobiologischer Sicht – nicht heißen, sich gegenseitig mit Samthandschu-

---

kann sich aber auch daraus ergeben, dass ein Unternehmen gesellschaftliche Projekte unterstützt, zum Beispiel im Kulturbereich oder im Bereich der Wissenschaften.

[13] Zum Beispiel Porsche-Chef Wendelin Wiedekind.

hen anzufassen. Da Motivation – unbewusst – durch den Wunsch gesteuert ist, etwas für andere zu tun, führt es in der Regel zu Demotivation, wenn Vorgesetzte sich gegenüber ihren Mitarbeitern von gesetzten Zielen distanzieren. Statements nach der Art: »Mir *persönlich* wäre es ja egal, aber wir *müssen* das nun einmal machen, Sie wissen ja, was die Geschäftsleitung gesagt hat ...« sind für Mitarbeiter unter dem Aspekt der Motivation meistens nicht hilfreich, weil es das Leistungsziel von der persönlichen Erwartung des/der direkten Vorgesetzten abkoppelt (eine ähnliche Situation kann sich zwischen Lehrern und Schülern ergeben). Wenn Vorgesetzte nicht *persönlich* zumindest hinter den wichtigsten Zielen stehen, für die sich Mitarbeiter einsetzen sollen, kann dies in der Regel nicht zu guter Motivation führen. Deshalb erfordert Führung den Mut, sich zu gesetzten Zielen zu bekennen und persönlich für sie einzutreten.[14] Wenn die Ziele allerdings derart problematisch sein sollten, dass weder Vorgesetzte noch Mitarbeiter sich damit identifizieren können, sollten die Ziele geändert werden.

Ein anderer Aspekt beim Führungsverhalten betrifft die Kunst, bei Mitarbeitern (aber auch Kollegen) Mitverantwortung für die Beziehungsgestaltung einzufordern: Führung (und Kollegialität) kann nicht heißen, dass Chefs (bzw. einzelne Kollegen) die alleinige Verantwortung für

[14] Ein Übermaß an persönlicher Identifikation ist allerdings ebenso störend, da es die Mitarbeiter von der Verantwortung freistellt nach dem unbewussten Schema: »Wenn *er* (der Vorgesetzte) sich derart Sorgen mcht und sich so extrem mit den Aufgaben identifiziert, dann müssen *wir* es nicht machen. Er wird notfalls schon selbst dafür sorgen, dass der Laden läuft.« Es kommt also auf eine Balance an.

die Gestaltung von Beziehungen am Arbeitsplatz übernehmen und die Mitarbeiterseite (bzw. andere Kollegen) von dieser Verantwortung freistellen. Die Kunst ist hier, destruktives Verhalten an den meist nur diskreten Zeichen zu erkennen (oder sie zu spüren). Falls sich eine solche Situation bei kritischer Prüfung als gegeben erweist, ist es von entscheidender Bedeutung, mit den betroffenen Personen (oder Gruppen) – unter Vermeidung von Bloßstellungen oder Beschämungen – offen und offensiv das Gespräch zu suchen und das Problem zu benennen. Unmotiviertes oder nichtkooperatives Verhalten aufseiten der Mitarbeiter oder der Kollegen kann dadurch begründet sein, dass Betroffene sich nicht ausreichend anerkannt oder (gegenüber anderen) benachteiligt fühlten. Dies würde den Wunsch nach mehr Beachtung und Anerkennung reflektieren.[15] Schwieriger ist die Situation, wenn es Mitarbeiter oder Kollegen erkennbar auf eine Konfrontation oder einen Machtkampf abgesehen haben. In diesem Falle ist zu klären, ob Selbstkorrekturen aufseiten der Führungsebene zur Wiederherstellung von Loyalität und Kooperation führen können. Wenn dies nicht der Fall ist, empfiehlt es sich, einen Konflikt offen zu benennen und mit allen Konsequenzen auszutragen, anstatt ihn schwelen zu lassen. Auch für gute Führung gilt somit das Prinzip der zweispurigen Verfahrensweise[16]: Einerseits kommt es darauf an, Mitarbeiter und Kollegen wahrzunehmen, zu verstehen, ihre Leistung anzuerkennen und sie fair zu behandeln. Andererseits gilt es, für

---

[15] Siehe Kapitel 2, außerdem: Honneth (1992).

[16] Siehe Kapitel 6.

die eigene Position zu stehen, Mitarbeiter und Kollegen nicht aus ihrer Mitverantwortung für die Gestaltung guter Beziehungen zu entlassen, Konflikte zu erkennen, aufzugreifen und Führung zu zeigen.

Beziehung und Motivation in den Schulen

Die offensichtliche Misere unseres schulischen Bildungssystems ist derzeit Gegenstand einer von Politikern, Verwaltungsfachleuten und den Statistikern der OECD [17] dominierten Diskussion, die eine Lösung vor allem in bürokratischen Maßnahmen suchen: Abhilfe schaffen sollen einheitliche Bildungsstandards, bessere Kontrollen des Bildungsgeschehens und ein erhöhter Druck auf die Lehrkräfte, so als hätten Lehrerinnen und Lehrer bisher nicht gewusst, wann Kinder welche Bildungsinhalte beherrschen sollten, oder als wären sie bisher nicht bereit gewesen, diese Inhalte zu vermitteln. Gegen einheitliche Bildungsstandards ist nichts einzuwenden, sie werden das Problem aber nicht lösen. Denn dort, wo heute der Bildungsprozess von Kindern und Jugendlichen nicht gelingt, scheitert er nicht daran, dass die Beteiligten bisher nicht gewusst hätten, was auf der jeweiligen Tagesordnung von Lehren und Lernen steht. Vielmehr gelingt es in den Klassenzimmern unserer Schulen vielerorts kaum noch, manchmal sogar überhaupt nicht mehr, eine Situa-

[17] Die Organisation für wirtschaftliche Zusammenarbeit und Entwicklung OECD (Organisation for Economic Cooperation and Development) war Trägerin der PISA-Bildungsstudien.

tion herzustellen, in der motiviertes Lehren und Lernen möglich wäre. Der Kern der Misere ist die zunehmende Schwierigkeit, die *Beziehung* zwischen Lehrkräften und den ihnen anvertrauten Kindern und Jugendlichen so zu gestalten, dass ein produktiver Unterricht stattfinden kann. Einer der wichtigsten Gründe dafür ist in der allgemeinen Situation für Kinder und Jugendliche außerhalb der Schule zu suchen. Dies zeigt sich unter anderem darin, dass sie in hohem Maße mit gesundheitlichen Problemen und Verhaltensauffälligkeiten zu tun haben. Um die sich hieraus ergebenden Defizite aufzufangen und sich dem einzelnen Kind intensiver zuwenden zu können, brauchen schulische Lehrkräfte – neben einer Verbesserung ihrer psychologischen und pädagogischen Kompetenz – vor allem kleinere Klassen.

Von Kinder- und Allgemeinärzten durchgeführte Untersuchungen zeigen: Bei über 50 Prozent der Schülerinnen und Schüler aller Schularten bestehen chronische, überwiegend psychosomatische Gesundheitsbeschwerden, 15 Prozent der Kinder im schulpflichtigen Alter leiden an psychischen Störungen im engeren Sinne.[18] Hintergrund dieser Situation sind zurückgehende bzw. fehlende konstruktive Beziehungs- und Gemeinschaftsangebote für Kinder und Jugendliche. Dies betrifft sowohl die private Situation in den Herkunftsfamilien als auch das erweiterte Umfeld, vor allem das Fehlen von Sport-, Musik- und anderen Freizeitangeboten. In die hier entstandene

---

[18] Siehe die vom Gesundheitsamt Stuttgart mit niedergelassenen Kinderärzten durchgeführte »Jugendgesundheitsstudie Stuttgart 2000« von Schmidt-Lachenmann et al. (2000) sowie Ziegert et al. (2002).

Lücke sind, wie neuere Untersuchungen der Hannoveraner Kriminologen Christian Pfeiffer zeigen[19], die schon genannten hoch problematischen Gewaltvideos und Killerspiele getreten. Das Ergebnis dieser durch Beziehungs- und Bindungslosigkeit vieler Kinder charakterisierten Situation sind schwere Einbrüche bei der *Motivation*, bei der Fähigkeit von Kindern und Jugendlichen, sich Ziele zu setzen und diese auch dauerhaft und mit Erfolg zu verfolgen.

Auch für die Schule gilt: Neurobiologisch gesehen kann es ohne Beziehung keine Motivation geben. Wenn es zutrifft, dass der Anteil von Jugendlichen gewachsen ist, die sich von dem Bemühen, Bildungsziele zu erreichen und berufliche Qualifikationen zu erwerben, innerlich verabschiedet haben, dann liegt der Verdacht nahe, dass die von einem solchen Motivationskollaps betroffenen jungen Menschen keine oder keine ausreichend tragenden Beziehungen bzw. Bindungen haben. Dies scheint der Fall zu sein, denn Kinder erhalten immer weniger persönliche Zuwendung und haben – als Folge davon – enorme Erziehungsdefizite, die sich nicht nur in Motivationsmangel, sondern auch in fehlender sozialer Kompetenz zeigen. Kinder brauchen Bezugspersonen, die sie mögen und die sie erziehen. Bezugspersonen stehen aber oft nicht ausreichend zur Verfügung, dies betrifft insbesondere die Väter. In anderen Fällen sind sie zur Gestaltung von Beziehungen aufgrund von Erwerbsdruck und/oder sozialer Not nicht in der Lage, wie beispielsweise durch Mehrfachbelastungen überforderte, allein gelassene Mütter.

[19] Siehe www.kfn.de/forschungsprojekte.

Eine ebenfalls durch Beziehungsdefizite gekennzeichnete, zusätzlich jedoch speziell akzentuierte Situation liegt bei Kindern von Migranten vor, die in vielen Fällen weder durch Bindungen aus ihrem ursprünglichen kulturellen Hintergrund getragen sind noch durch solche aus dem Kulturkreis des Gastlandes.

Über viele Jahre hinweg wurde durch weit verbreitete Fehleinschätzungen erheblicher Schaden angerichtet. Eine in der Nach-68er-Zeit entstandene Legende besagte, Kinder entwickelten sich am besten, wenn man ihnen maximale Freiräume gebe[20], was meistens bedeutete, dass man sich nur noch wenig um sie kümmerte und sie weitgehend sich selbst, einer kommerziellen Wohlstandsverwahrlosung oder problematischen Medienangeboten überließ. Eine andere, in den achtziger Jahren aufgekommene Fehleinschätzung war die Ansicht, dass die Entwicklung von Kindern biologisch, durch die Gene determiniert sei, dass Kinder von allein Kompetenzen entwickeln und daher auf sich selbst gestellt bleiben und mit relativ wenig elterlicher Zuwendung zurechtkommen könnten. Leider haben auch viele Fachleute zu diesem folgenschweren Irrtum beigetragen. Relativ früh erkennbare neurobiologische bzw. psychologische Kompetenzen von Kindern bedeuten keineswegs, dass diese Fähigkeiten sich von allein entwickelt hätten und sich allein

[20] Die 68er-Bewegung war ihrerseits die Reaktion auf eine Elterngeneration, die in der nationalsozialistischen Zeit erzogen worden war, in der extreme Härte, Gefühllosigkeit und Unmenschlichkeit nicht nur Teil der herrschenden Ideologie waren, sondern zum täglichen Leben gehörten (siehe dazu – aus autobiographischer Sicht – den eindrucksvollen Bericht von Ute Scheub, 2006).

weiterentwickeln könnten. Dies ist nachweisbar ein Irrtum. Was die genetischen Programme des Kindes tatsächlich leisten, ist nicht mehr als die Bereitstellung einer neurobiologischen bzw. psychologischen Grundausstattung. Die von den Genen bereitgestellten biologischen Systeme können aber nur dann ihr Potenzial entfalten, wenn sie durch *Interaktionen mit der Umwelt* in Gang gesetzt und in Funktion gehalten werden.[21] Im Falle der psychischen Entwicklung bedarf es dazu einer Zuwendung, die auf die individuellen Bedürfnisse und Fähigkeiten des einzelnen Kindes abgestimmt ist. Die maßgebliche »Umwelt« des Kindes sind seine Bezugspersonen, und nur sie können es individuell fördern und fordern. *Das Kind kann nur dann ein individuelles, autonomes Selbst entwickeln, wenn es konstante, persönliche Bezugspersonen hat, die es in seiner Besonderheit wahrnehmen und ihm seine Individualität spiegeln.*[22] So wichtig Betreuungseinrichtungen, Kindertagesstätten, Kindergärten und Ganztagsschulen sind und so dringend wir den hier bestehenden Mangel auch tatsächlich endlich beheben sollten, so sehr braucht doch jedes Kind darüber hinaus die persönliche Zuwendung der Eltern (oder Ersatzeltern). Persönliche Bindungen sind für ein Kind durch nichts zu ersetzen.

---

[21] Dies gilt nicht nur für die neurobiologischen Systeme, sondern zum Beispiel auch für den Bewegungsapparat und andere Körperfunktionen.

[22] »Being mirrored involves a message about oneself« (Andrew Meltzoff), siehe dazu Joachim Bauer: »Warum ich fühle, was du fühlst« (2005).

Bereits Kinder sind – und dies von Geburt an – auf liebevolle Zuwendung, Bindung und tragende Beziehungen hin orientiert. Versuche, Kinder ohne emotionale Zuwendung, sondern ausschließlich »rational« oder »vernünftig« zu erziehen, haben schwere seelische Beeinträchtigungen zur Folge.[23] Die Notwendigkeit der Erziehung ergibt sich nicht etwa daraus, dass man Kindern die innere Orientierung auf Kooperation und gelingende Beziehungen erst einpflanzen müsste, sondern daraus, dass Kinder die Regeln, die soziales Zusammenleben möglich und erfreulich machen, nicht beherrschen. Um ihnen den Suchprozess zu ersparen, den die Menschheit benötigte, um diese Regeln herauszufinden, bedarf es der Erziehung. Hinzu kommt, dass die auf Kooperation ausgerichteten neurobiologischen Systeme des Kindes, wie schon erwähnt, nach dem biologischen Gesetz »Use it or lose it«[24] eingeübt oder eingespielt werden müssen. Dies heißt nicht nur, Kindern im Rahmen verbindlicher Beziehungen Zuwendung zu schenken, sondern bedeutet zugleich auch, sie zu lehren, was die Voraussetzungen für gelingende Kooperation sind. Erziehung hat die Aufgabe, dem Kind die »soziale Bedienungsanleitung« für einen opti-

---

[23] Der Versuch des mittelalterlichen Stauferkaisers Friedrich, Kinder nach der Geburt ohne Ansprache zu lassen und ihnen außer der Grundversorgung nichts zu gewähren, endete bekanntlich mit deren Tod.

[24] Der neurobiologische Grundsatz »Benutze es, oder du wirst es verlieren« besagt, dass genetisch angelegte biologische Systeme Schaden erleiden oder untergehen, wenn sie nicht adäquat in Gebrauch genommen werden (siehe dazu auch Kapitel 2 und Kapitel 5).

malen Gebrauch seiner Motivationssysteme beizubringen. Nur Kinder, die gelernt haben, nach welchen Regeln Gemeinschaft funktioniert, können das sich daraus ergebende Glück erleben. Mit Kindern liebevolle Beziehungen zu gestalten bedeutet daher immer auch, ihnen Regeln vorzuleben und sie mit ihnen einzuüben.

Die »soziale Bedienungsanleitung« der Motivationssysteme beinhaltet alle Komponenten, die bereits als Elemente einer »zwischenmenschlichen Beziehung« genannt wurden[25]: den anderen sehen und beachten, gemeinsame Aufmerksamkeit teilen, gemeinsames Handeln einüben, emotionale Resonanz zeigen und sich um verstehende Empathie (Einfühlung) bemühen. Einfacher ausgedrückt: Es geht in der Erziehung darum, Kindern Rücksichtnahme und Toleranz zu lehren und vorzuleben – und ihnen zu zeigen, dass dies Erfolgsstrategien sind, die zu intensivem Gemeinschaftsleben und Glück führen. Es ist evident, dass ein solcher Erziehungsprozess nicht allein über Anordnungen und Vorschriften gelingen kann. Vielmehr setzt Erziehung voraus, dass mit dem Kind vonseiten der Eltern, der Verwandten und der Pädagogen Beziehungen gestaltet werden.

Erziehung muss dem Kind – eingebettet in die mit ihm gelebte Beziehung – klare Hinweise und Gebote vermitteln, welchen Beitrag das Kind zu leisten hat, damit Gemeinschaft und Kooperation funktionieren können. Dies muss altersentsprechend geschehen und bedarf keiner rabiaten Erziehungsmethoden. Kinder, die sich selbst, der Wohlstandsverwahrlosung oder täglich einem mehrstün-

---

[25] Siehe Kapitel 6.

digen Medienkonsum überlassen werden, können solche Regeln nicht lernen. Was Kinder bei Medien lernen, die Gewaltmodelle abbilden, sind »Regeln«, die ihnen den Eindruck vermitteln, dass Tabus beliebig gebrochen werden dürfen und Gewalt eine probate Methode ist, sich durchzusetzen. Das Ergebnis dieser Art von »Erziehung« können wir derzeit vielfach in Klassenzimmern und auf Schulhöfen sehen. Die in sich darwinistischen Handlungsprogramme von Gewaltvideos und Killerspielen enden für Kinder, die diese Angebote intensiv und über lange Zeit nutzen, »bestenfalls« in sozialer Inkompetenz und Arbeitslosigkeit, schlimmstenfalls – wie im Falle des Mordschützen an einer Erfurter Schule – im Strafvollzug. Dass im Übermaß konsumierte Medien – jedenfalls, wenn es sich um Medien jener Machart handelt, wie sie Kinder derzeit angeboten bekommen – Gewalt fördern und schulisches Versagen begünstigen, ist wissenschaftlich einwandfrei und vielfach belegt.[26] Vor dieser Entwicklung muss nicht nur die persönliche Erziehung seitens der Bezugspersonen bewahren, davor sollten unsere Kinder und Jugendlichen eigentlich durch die Gesellschaft als Ganzes geschützt werden. Ein solcher Schutz ist in Ländern, in denen der Darwinismus ein unausgesprochenes Staatsziel darstellt, natürlich nicht zu erwarten. Dort rangiert die Freiheit des maximalen Profits vor dem Gebot, ein »Minimum«[27] an Menschlichkeit zu bewah-

---

[26] Siehe, neben zahlreichen weiteren Studien, die an hervorragender Stelle publizierte Studie von Johnson et al. (2002) sowie Anderson et al. (2003). Über deutsche Studien zum Zusammenhang zwischen Medienkonsum und Schulversagen informiert: www.kfn.de/forschungsprojekte.

[27] Im Sinne Frank Schirrmachers (2005).

ren. Bedenklich ist, dass wir uns vieles von dem, was sich in den heutigen Hochburgen des Darwinismus entwickelt hat und entwickelt, hier in unseren Ländern zum Vorbild genommen haben und nehmen.

Chancen für eine effektivere Medizin

Wir dürfen uns glücklich schätzen, eine hoch entwickelte Medizin zu haben. Was unsere Medizin teurer macht als nötig, ist *nicht* ihr hohes apparatives Niveau; es ist vielmehr die Tatsache, dass Symptome, die sich aus der Lebenssituation von Patienten heraus entwickelt haben, nicht in ihrem Zusammenhang erkannt, sondern stattdessen isoliert behandelt werden. Was behandelt wird, ist dann der medizinische Befund, nicht aber der kranke Patient. Das Ergebnis ist, dass sich Symptome trotz (teurer) Behandlung und immer neuer (teurer) apparativer Diagnostik nicht bessern.

Bei der Mehrheit aller Gesundheitsstörungen spielt die Lebenssituation des Patienten eine maßgebliche Rolle. Dies betrifft unter anderem chronische Schmerzen, Kreislauferkrankungen (insbesondere den Bluthochdruck), depressive Symptome, Angsterkrankungen, Schlafstörungen wie auch die kindlichen Aufmerksamkeits- und Verhaltensstörungen (die Aufzählung ist in hohem Maße unvollständig).[28] Vielen Medizinern, erst recht aber den medizinischen Laien fällt es schwer, zu verstehen, warum die

---

[28] Beim *erstmaligen* Auftreten von Symptomen ist immer auch eine gründliche organmedizinische Diagnostik notwendig.

Lebenssituation des Patienten auch bei körperlichen Symptomen wichtig ist. Die Antwort darauf ergibt sich aus den Erkenntnissen der modernen Neurobiologie und der psychosomatischen Medizin: Alles, was Menschen in ihrer Lebensumwelt, insbesondere in ihren zwischenmenschlichen Beziehungen, erleben, wird vom Gehirn nicht nur registriert, sondern auch in körperliche Signale übersetzt.[29]

Das Gehirn macht aus Psychologie Biologie. Psychische Belastungen können sich daher in körperlichen Veränderungen und auffälligen organischen Befunden äußern. Allzu oft sieht die Medizin aber nur den isolierten Befund und behandelt sozusagen am Patienten vorbei. Ein Beispiel soll dies verdeutlichen: Eine beruflich überaus tüchtige Ingenieurin Ende vierzig[30], die bei mir wegen einer Depression in Behandlung war, klagte zusätzlich über Schmerzen in der Muskulatur ihrer Arme und Beine. Da einige rheumatologische Blutwerte geringfügig erhöht waren, beschloss der mitbehandelnde Rheumatologe in Absprache mit mir, die Patientin zum Ausschluss einer Muskelentzündung zu einer kernspintomographischen Untersuchung zu schicken.[31] Als die Patientin in der Röntgenpraxis aus der Untersuchungsröhre herausgefahren wurde, hatte der Röntgenologe schon die ersten Bilder am Bildschirm hängen und sagte zu der verdutzten

---

[29] Siehe Joachim Bauer: »Das Gedächtnis des Körpers« (2004).

[30] Die äußeren Daten sind zwecks der Wahrung der Anonymität verändert.

[31] Eine solche Untersuchung ergibt röntgenartige Bilder, mit denen sich alle körperlichen Strukturen – in diesem Falle ging es um die Muskeln – analysieren lassen.

Frau: »Sie müssen ja schreckliche Rückenschmerzen haben!« Meine Patientin: »Ich habe keine Rückenschmerzen!« Der Röntgenologe ließ sich nicht irritieren: »Die Wirbelsäule sieht ja ganz übel aus, mit diesem Rücken können Sie in den vorzeitigen Ruhestand, da haben Sie jedenfalls meine volle Unterstützung!«, worauf sie erneut beteuerte, keine Rückenschmerzen zu haben. Als die Patientin mir dies eine Woche später erzählte, machte sie am Ende eine kleine Pause und sagte dann zögernd: »Aber wissen Sie, seit dieser Untersuchung habe ich manchmal plötzlich das Gefühl, ich hätte vielleicht doch Rückenschmerzen.«[32] Der Röntgenologe hatte es sicher gut gemeint, es ging ihm jedoch so wie sehr vielen Medizinern: Über dem Befund hatte er den Patienten aus den Augen verloren.

Was die Medizin besser, effektiver (und menschlicher) machen kann, ist eine stärkere Einbeziehung psychosomatischer Aspekte. Wir brauchen eine massive Stärkung der psychosomatischen Medizin.[33] Wenn Patienten zum Beispiel an chronischen Schmerzen leiden, sollte man beachten, dass anhaltende, schwere Belastungen in zwi-

---

[32] Der Verdacht einer Muskelentzündung hat sich bei der Patientin glücklicherweise nicht bestätigt. Die Schmerzen waren ein Begleitsymptom der Depression. Die Patientin war nach einer sechsmonatigen psychotherapeutischen Behandlung geheilt.

[33] Umso unverständlicher ist es daher, wenn von einigen einflussreichen Funktionären der Psychiatrie die Abschaffung der psychosomatischen Medizin gefordert wird (siehe dazu: Bauer und Kächele, 2005). Die Psychiatrie, deren Behandlungsmethoden sich primär auf Psychopharmaka stützen (siehe Härter et al., 2004), bemüht sich derzeit um eine Beseitigung der psychosomatischen Medizin, bei der nichtmedikamentöse Behandlungsmethoden im Vordergrund stehen.

schenmenschlichen Beziehungen zu einer Verminderung körpereigener Opioide führen können mit der Folge, dass ein Patient plötzlich an Schmerzen leidet. Die Behandlung darf sich dann *nicht nur* auf die Verabreichung von Schmerzmitteln beschränken (so sehr diese dem Patienten überbrückend Linderung verschaffen können), sondern sollte psychosomatische Aspekte mit einbeziehen. Wenn Patienten an Blutdruckstörungen leiden, sollte man im Auge haben, dass Angst und Stress zur Freisetzung von Noradrenalin im Hirnstamm und von Adrenalin im sympathischen Nervensystem führen mit der Folge, dass Herz und Kreislauf belastet werden. Behandelt werden sollte dann nicht nur »der Blutdruck« oder »das Herz«, sondern der belastete Mensch. Wenn ein Patient eine Depression entwickelt, so sollte beachtet werden, dass das erstmalige Auftreten einer Depression, wie durch Studien nachgewiesen werden konnte, immer im Zusammenhang mit schweren beruflichen oder persönlichen Belastungen steht. Einem Patienten dann *ausschließlich* Antidepressiva zu geben, mag für den Hausarzt oder den Psychiater die bequemste Lösung sein, es ist aber nicht die beste für den Patienten.[34] Auch depressive Patienten bedürfen einer psychosomatischen Behandlung. Wenn Studien eindeutig zeigen, dass die psychotherapeutische Behandlung einer Depression das Risiko einer späteren Wiederholungsdepression senkt, die ausschließlich medikamentöse Behandlung dieses Risiko aber eher

[34] Eine Behandlung mit Antidepressiva ist nach vorliegenden Untersuchungen nur bei einer *schweren* Depression zu empfehlen, sie sollte allerdings auch hier von einer psychotherapeutischen Behandlung begleitet werden.

erhöht[35], dann sind Empfehlungen, depressive Patienten nur mit Medikamenten zu behandeln, fahrlässig.[36]

Um Krankheiten, die sich aus der Lebenslage eines Patienten heraus entwickelt haben, zu verstehen und richtig zu behandeln, muss der Arzt die Gesamtsituation seines Patienten kennen. Dies setzt eine Arzt-Patient-Beziehung voraus, die in der heutigen Medizin in der Regel zu kurz kommt. Die Zuwendung des Arztes ist nicht nur der Schlüssel zum Verständnis und zur angemessenen Behandlung einer Krankheit. Die Beziehung zwischen Arzt und Patient ist *selbst* ein Beitrag zur Heilung des Patienten. Gute Ärzte und Ärztinnen haben das – intuitiv – immer schon gewusst. Sich dem Patienten zuzuwenden, ihn persönlich in Ruhe körperlich zu untersuchen und daneben das vertrauensvolle Gespräch mit ihm zu suchen, ist ein unverzichtbarer Teil der Medizin, die der Patient benötigt. *Warum* das so ist, wurde erst in den letzten Jahren durch die moderne Neurobiologie geklärt. Wie ich im zweiten Kapitel anhand der von Jon-Kar Zubieta durchgeführten Studien dargelegt habe, aktiviert die ärztliche Zuwendung Systeme im Gehirn, die Schmerzen verringern, und neben den körpereigenen Opioiden noch weitere Botenstoffe, die gesundheitsstabilisierende Wirkung haben. *Der gute Arzt ist also zweifach wirksam: zum einen durch sein fachliches Können und die durchgeführten medizinischen Maßnahmen, zum anderen durch sein Auftreten, seine Zuwendung und durch das Vertrauen, das sich aus einer guten Arzt-Patient-Beziehung ergibt.*

---

[35] Eine Übersicht über die dazu vorliegenden Studien findet sich bei Joachim Bauer: »Das Gedächtnis des Körpers« (2004).

[36] Siehe dazu Bauer und Kächele (2005).

Das Streben des Menschen nach Zuwendung und Kooperation bildet den Kern des menschlichen Daseins. Altruistische, auf das Wohl anderer gerichtete Verhaltensweisen sind mehr als eine optimierte Strategie im Überlebenskampf der Natur. Selbstverständlich trifft es zu, dass sich mit gemeinschaftlichem Vorgehen manchmal Vorteile im Konkurrenzkampf erzielen lassen, ebenso, dass Lebewesen um ihr Überleben kämpfen, wenn sie bedroht sind. *Dass Lebewesen leben wollen, ist eine Tautologie. Dass die zentralen Antriebe lebender Systeme darauf gerichtet sind, sich maximal zu verbreiten und gegeneinander zu kämpfen, ist hingegen Ideologie.* Sie blendet – wie jede Ideologie – alles aus, was sie in Frage stellen könnte. Lebewesen reagieren auch dort, wo Ressourcen knapp werden, keineswegs immer mit Kampf, sondern machen von der Fähigkeit zur Selbstregulation Gebrauch.[37] Ein Blick auf die Evolution des Lebens und die Entwicklungsstufen lebendiger Systeme zeigt: Kooperation war die entscheidende Voraussetzung für die Entstehung des Lebens, und sie ist bis heute ein das Leben in all seinen Varianten begleitendes Phänomen geblieben. Erste lebende Strukturen verdanken ihren Ursprung dem Prinzip der Passung und des Zusammenspiels – und das heißt: der Kooperation.

---

[37] Bei zahlreichen Pflanzen und Tieren gehen die Fortpflanzungsraten drastisch von allein zurück, sobald die betroffenen Arten unter anhaltenden Umweltstress geraten (darauf hat bereits Darwin selbst hingewiesen, allerdings ohne dies in seiner Theorie zu konzeptualisieren, siehe Darwin 1859, S. 535ff.; 1871, S. 205–212). Die zweifellos eleganteste Möglichkeit zur Geburtenkontrolle hat der moderne Mensch.

Auch die dann erfolgte Entwicklung einfacher Systeme zu komplexeren biologischen Strukturen, darin sind sich alle Systemforscher heute einig, lässt sich nicht durch das Prinzip des Verdrängungskampfes und der Auslese erklären, sondern setzt in zentraler Weise Kooperation voraus. *Zusammenspiel und Resonanz kennzeichnen alle bedeutsamen biologischen Strukturen und Prozesse, von der DNA-Doppelhelix (einer Spiegelstruktur) über die Passung von Biomolekülen und ihren Rezeptoren bis hin zum Zusammenwirken von Zellen im Rahmen von Organen und Organismen.* Gene sind per se hochgradig kooperative Systeme und reagieren zudem unablässig auf Umweltsignale, an die sie sowohl ihre Arbeitsweise als auch ihre epigenetischen Strukturen anpassen können. Kennzeichen biologischer Systeme ist daher, wie es der Biochemiker und frühere Max-Planck-Direktor Friedrich Cramer ausdrückte, die »Symphonie des Lebendigen«[38], sein Bild für das Zusammenspiel und die Suche biologischer Systeme nach immer neuen Möglichkeiten, in wechselseitige Resonanz zu treten.

Angesichts der Beobachtung von Spiegel- und Resonanzphänomenen bei einfachsten biologischen Strukturen wie der DNA ist es – auch wenn sich das eine nicht *unmittelbar* aus dem anderen ableiten lässt – keine überraschende Erkenntnis, dass Spiegelungs- und Resonanzprozesse auch bei höheren Lebewesen wie dem Menschen eine überaus bedeutende Rolle spielen. Bereits früheste Manifestationen kultureller Kreativität waren ihrer Natur nach Spiegelungs- und Resonanzphänomene. Dies

[38] Cramer (1996).

gilt für die Malerei, für gemeinsame Formen der Bewegung (wie den Sport oder den Tanz), vor allem aber für alle Formen der Musik. Vor dem Hintergrund dessen, was in diesem Buch ausgeführt wurde, drängt sich die Schlussfolgerung auf: *Kulturelle Kreativität ist keineswegs ein Luxusphänomen, sondern Ausdruck der Suche nach dem, worauf wir unserem tiefsten biologischen Wesen nach ausgerichtet sind.* Zu den kulturellen Formen des Lebens gehören nicht nur die Künste, sondern auch die vielfältigen Formen des sozialen Zusammenwirkens. Sie umfassen die Erziehung unserer Kinder zu Menschlichkeit, die Bildung, ethisches Management im Bereich der Wirtschaft und die Bereitschaft, uns in materieller und gesundheitlicher Not gegenseitig zu unterstützen.[39] Wir haben heute die Möglichkeit, uns aus dem Albtraum des Darwinismus und der Soziobiologie zu befreien. Die Alternative heißt Kooperation. Das Ergebnis gelingender Kooperation hieße: Menschlichkeit.

---

[39] Allerdings auch, wie an früherer Stelle ausgeführt, die wirksame Abwehr von Versuchen Einzelner, solche unterstützenden Systeme zu Lasten der Solidargemeinschaft auszubeuten.

8.
Nachtrag: Kooperation, ganz unwissenschaftlich

dpa, 16. 12. 2005:

»Ein großer Buckelwal ist vor der Küste von San Francisco in einer dramatischen Rettungsaktion aus Fischernetzen befreit worden. Zum ersten Mal sei damit ein solcher Wal an der US-Westküste vor dem sicheren Tod in den Netzen bewahrt worden, sagte eine Wal-Expertin am Mittwoch (Ortszeit) dem ›San Francisco Chronicle‹. Krabbenfischer hatten Taucher zu Hilfe gerufen, um den etwa 50 Tonnen schweren und 16 Meter langen Wal aus seiner lebensbedrohlichen Lage zu befreien. Die schweren Netze und Krabbenkästen zogen das bewegungsunfähige Tier unter Wasser. Vier Taucher brauchten mehr als eine Stunde, um die Nylonseile zu zerschneiden. Das Tier sei anschließend auf jeden Taucher zugeschwommen und habe sich mit einem kleinen Nasenstoß bei seinen Rettern ›bedankt‹, sagte der Rettungstaucher James Moskito. ›Der Wal war fast anhänglich, wie ein Hund, der sich freut, seinen Besitzer zu sehen.‹ Die Aktion war nicht ungefährlich, denn ein Schlag mit der riesigen Schwanzflosse könnte einen Menschen töten, sagte die Biologin Shelbi Stoudt vom Marine Mammal Center bei San Francisco. Moskito nannte es ein ›unheimlich bewegendes Erlebnis‹, dem riesigen Meeressäuger zu helfen. Er habe sich dabei überhaupt nicht bedroht gefühlt. Der Bestand der gefährdeten Buckelwale wird weltweit auf etwa 7000 Tiere geschätzt. Die sehr verspielten Meeressäuger sind für ihre akrobatischen Sprünge aus dem Wasser und ihre Gesänge bekannt.«

9. Danksagungen

Beim Schreiben eines Buches kommt es zu inneren Begegnungen mit Menschen, die einen in verschiedenen Phasen des Lebens begleitet und geprägt haben. Diese Wiederbegegnungen waren bei der Niederschrift von »Prinzip Menschlichkeit« besonders intensiv. Ich möchte deshalb einige dieser Menschen erwähnen, denen ich in tiefer Dankbarkeit verbunden bin.

Mein 1923 geborener Vater und meine 1930 geborene Mutter wuchsen – wie die gesamte damalige Generation – in einer Zeit auf, in der die menschenverachtende Denkweise, deren Quellen ich im vierten Kapitel dieses Buches aufgezeigt habe, zum Kern der Pädagogik und zur Staatsdoktrin geworden war. Obwohl weder ihre noch meine Generation es seinerzeit verstehen konnten, hatten die Auseinandersetzungen, die beide Generationen in den späten sechziger und in den siebziger Jahren miteinander austrugen, im Grunde mit der Sackgasse der Unmenschlichkeit zu tun, in die das Denken in den Kategorien von Härte, Ertüchtigung, Kampf und Auslese unser Land geführt hatte. Sich mit dem – insbesondere auch moralischen – Desaster der Nachkriegsjahre auseinander setzen zu müssen und uns, den nach dem Krieg Geborenen, trotzdem erstaunlich gute Entwicklungsmöglichkeiten eröffnet zu haben, dies war eine extrem schwierige Aufgabe. Dafür bin ich meinen Eltern zutiefst dankbar.

Zu den glücklichen Fügungen meiner Jugend gehörte, dass ich in meiner Stuttgarter Gymnasialzeit menschlich eindrucksvollen und intellektuell inspirierenden Pädagogen begegnet bin (sie dürften der Grund dafür sein, dass der Lebensraum Schule mich bis heute beschäftigt und inzwischen einen Teil meiner wissenschaftlichen Arbeit bildet). Besondere Dankbarkeit verbindet mich mit Wolfgang Hinker, einem außergewöhnlichen Pädagogen, der später über viele Jahre hinweg eine große, von deutschen Trägern finanzierte Schule für arabische Kinder in Amman (Jordanien) leitete. – Meine Freiburger Studienzeit fiel in die chaotischen siebziger Jahre. Was einem damals im Universitätsgeschehen an rechts- und linksgerichteten Exzentrikern begegnete, war gleichermaßen abstoßend. Zu den wenigen Hochschullehrern mit Vorbildfunktion gehörten für mich damals der Biochemiker Karl Decker (ein Schüler des Nobelpreisträgers Feodor Lynen) und der Internist Wolfgang Gerok (ein Schüler des Nobelpreisträgers Adolf Butenandt).

Dankbarkeit verbindet mich mit drei exzellenten Medizinern, bei denen ich mir unmittelbar nach dem Studium über zwei Jahre hinweg intensivmedizinische und kardiologische Grundfertigkeiten aneignen konnte: Ulrich Passmann (Lorettokrankenhaus Freiburg), Helmut Roskamm und Martin Schmuziger (Herzzentrum Bad Krozingen). Die Möglichkeit, am Biochemischen Institut der Universität Freiburg als Postdoktorand das molekularbiologische Forschungshandwerk zu erlernen, verdanke ich Peter Claus Heinrich und Karl Decker. Mein prägender klinischer Lehrer wurde dann jedoch der Freiburger Ordinarius für Innere Medizin Wolfgang Gerok, der in den achtziger Jahren sowohl menschlich als auch fachlich die herausragende Persönlichkeit am Freiburger Universitätsklinikum war. Er ermöglichte mir unter anderem einen längeren Forschungsaufenthalt am Mount Sinai Medical Center in New York bei George Acs. Dem Biochemiker George Acs, der als junger Mann das Konzentrationslager überlebt hatte, bin ich – nicht nur wegen der väterlichen Förderung, die er mir angedeihen ließ – in tiefer Dankbarkeit verbunden.

Nach absolvierter internistischer Facharztausbildung und meiner Habilitation für das Fach Innere Medizin bei Wolfgang Gerok wechselte ich, meiner Neigung zur Neurobiologie und zur psychologischen Medizin folgend, Anfang der neunziger Jahre zu Mathias Berger, dem damals frisch berufenen Ordinarius für Psychiatrie in Freiburg. Mathias Berger verdanke ich nicht nur meine klinisch-psychiatrische Ausbildung, sondern auch die Möglichkeit, an seiner Klinik neurobiologische Labors aufzubauen und – neben der klinischen Arbeit – intensiv neurobiologisch forschen zu können. Bei Mathias Berger erfolgte meine zweite Habilitation. Mein wichtigster psychotherapeutischer Lehrer war Menachem Amitai. Ihm bin ich in tiefer Dankbarkeit verbunden. Bleibende Dankbarkeit verbindet mich schließlich auch mit Michael Wirsching, dem Ordinarius für Psychosomatische Medizin, an dessen Klinik ich seit dem Jahre 2000 die Ambulanz leite und mit dessen Förderung ich seither nicht nur als ärztlicher Leiter der Ambulanz tätig sein, sondern auch zahlreiche neue wissenschaftliche Forschungsprojekte in Angriff nehmen konnte.

Literatur

Adolphs, R.: Cognitive neuroscience of human social behaviour. Nature Reviews Neuroscience 4: 165, 2003.

Agrawal, A. A.: Phenotypic plasticity in the interaction and evolution of species. Science 294: 321, 2001.

Alvarez, L. W., et al.: Extraterrestrial cause for the cretaceous-tertiary extinction. Science 208: 1095, 1980.

Anderson, C.: Exposure to violent media. Journal of Personality and Social Psychology 84: 960, 2003.

Anderson, C.: An update on the effects of playing violent video games. Journal of Adolescence 27: 113, 2004.

Archer, J., Coyne, S.: An integrated review of indirect, relational, and social aggression. Personality and Social Psychology Review 9: 212, 2005.

Aron, A., et al.: Reward, motivation, and emotion systems associated with early-stage intense romantic love. Journal of Neurophysiology, 2005.

Axelrod, R.: Effective Choice in the prisoner's dilemma. Journal of Conflict Resolution 24: 3, 1980 (a).

Axelrod, R.: More effective choice in the prisoner's dilemma. Journal of Conflict Resolution 24: 379, 1980 (b).

Axelrod, R.: The evolution of cooperation. Basic Books. New York, 1984.

Axelrod, R.: The complexity of cooperation. Princeton University Press. Princeton, 1997.

Azim, E., et al.: Sex differences in brain activation elicited by humor. Proceedings of the National Academy of Science PNAS 102: 16496, 2005.

Balcombe, J.: Pleasurable Kingdom – Animals and the nature of feeling good. MacMillan, Houndsmills, 2006.

Balfour, D. J. K.: The neurobilogy of tobacco dependence: a preclinical perspective on the role of the dopamine projections to the nucleus. Nicotine and Tobacco Research 6: 899, 2004.

Balon, E. K.: Evolution by Epigenesis (article in english). Revista di Biologia 97: 269, 2004.

Barrot, M., et al.: Regulation of anxiety and initiation of sexual behavior by CREB in the Nucleus accumbens. PNAS 102: 8357, 2005.

Bartels, A., Zemir, S.: The neural basis of romantic love. NeuroReport 11: 3829, 2000.

Bartels, A., Zemir, S.: The neural correlates of maternal and romantic love. Neurolmage 21: 1155, 2004.

Bartholow, B. D., et al.: Interactive effects of life experiences and situational cues on aggression: The weapons priming effect in hunters and nonhunters. Journal of Experimental Social Psychology 41: 48, 2005.

Bauer, J., et al.: Induction of rat alpha2-macroglobulin in vivo and in hepatocyte primary culture: synergistic action of glucocorticoids and a Kupffer cell-derived factor. Federation of the European Biochemical Societies (FEBS) Letters 177: 89, 1984.

Bauer, J., et al.: Biosynthesis and secretion of alpha1 acute phase globulin. European Journal of Biochemistry 146: 347, 1985.

Bauer, J., et al.: Murine interleukin 1 stimulates alpha2-macroglobulin synthesis in rat hepatocyte primary cultures. Federation of the European Biochemical Societies (FEBS) Letters 190: 271, 1985.

Bauer, J., et al.: The acute-phase induction of alpha2-macroglobulin. European Journal of Cell Biology 40: 86, 1986.

Bauer, J., et al.: Regulation of interleukin-6 expression in human monocytes and monoyte-derived macrophages. Blood 72: 1134, 1988 (a).

Bauer, J., et al.: Astrocytes synthesize and secrete alpha2-macroglobulin. In: Proteases II (H. Hörl, A. Heidland, eds.). Plenum Publishers, New York/London, 1988 (b).

Bauer, J.: Endotoxin abolishes the induction of alpha2 macroglobulin synthesis in cultured human monocytes indicating inhibition of the terminal maturation into macrophages. In: Proteases II (H. Hörl, A. Heidland, eds.). Plenum Publishers, New York/London, 1988.

Bauer, J., et al.: Regulation of interleukin-6 receptor expression in human monocytes and monocyte-derived macrophages. Journal of Experimental Medicine 170: 1537, 1989.

Bauer, J.: Interleukin-6 and its receptor during homeostasis, inflammation, and tumor growth. Klinische Wochenschrift 67: 697, 1989.

Bauer, J., et al.: Fetal hepatocytes respond to inflammatory mediators and excrete bile. Hepatology 13: 1131, 1991 (a).

Bauer, J.: Human recombinat IL-6: Clinical promise. Biotechnology Therapeutics 2: 298, 1991.

Bauer, J., et al.: In-vitro matured human macrophages express Alzheimer's betaA4-amyloid precursor protein indicating synthesis in microglial cells. Federation of the European Biochemical Societies (FEBS) Letters 282: 335, 1991 (b).

Bauer, J., et al.: Interleukin-6 and alpha2-macroglobulin indicate an acute-phase state in Alzheimer's disease cortices. Federation of the European Biochemical Societies (FEBS) Letters 285: 111, 1991 (c).

Bauer, J.: The participation of interleukin-6 in the pathogenesis of Alzheimer's disease. Research in Immunology 143: 650, 1992.

Bauer, J., et al.: Differenzierung und Genese von Bewußtseinsstörungen. Intensivmedizin 29: 3, 1992.

Bauer, J., et al.: Effects of interleukin-1 and interleukin-6 on metallothionein and amyloid precursor protein expression in human neuroblastoma cells. Journal of Neuroimmunology 45: 163, 1993 (a).

Bauer, J., et al.: Neuropathologische, immunologische und psychobiologische Aspekte der Alzheimer-Demenz. Fortschritte der Neurologie und Psychiatrie 61: 225, 1993 (b).

Bauer, J., et al.: Interleukin-6 serum levels in healthy persons correspond to the sleep-wake-cycle. Clinical Investigator 72: 315, 1994.

Bauer, J.: Die Alzheimer-Krankheit. Schattauer Verlag. Stuttgart, 1994.

Bauer, J.: Psychosomatische Aspekte der Adnexitis. In: Psychosomatische Medizin und Psychotherapie (H. Feiereis, R. Sailer, Hrsg.). Hans Marseille Verlag. München, 1995.

Bauer, J., et al.: Induction of cytokine synthesis and fever suppresses REM sleep and improves mood in patients with major depression. Biological Psychiatry 38: 6111, 1995 (a).

Bauer, J., et al.: Prämorbide psychologische Prozesse bei Alzheimer-Patienten und bei Patienten mit vaskulären Demenzerkrankungen. Zeitschrift für Gerontologie und Geriatrie 28: 179, 1995 (b).

Bauer, J.: Disturbed synaptic plasticity and the psychobiology of Alzheimer's Disease. Behavioral Brain Research 78: 1, 1996 (a).

Bauer, J.: Qualitätsstandards in der Demenzdiagnostik. In: Qualitätssicherung in Diagnostik und Therapie (W. Braun, R. Schaltenbrandt, Hrsg.). Universität Witten/Herdecke Verlagsgesellschaft, 1996 (b).

Bauer, J.: Immunologische Aspekte der Alzheimer-Demenz. In: Ganzheitsmedizin und Psychoneuroimmunologie (U. Kroppiunigg, A. Stacher, Hrsg.), Facultas Universitätsverlag. Wien, 1997.

Bauer, J., et al.: Lebenslaufuntersuchungen bei Alzheimer-Patienten: Qualitative Inhaltsanalyse prämorbider Entwicklungsprozesse. In: Psychosoziale Gerontologie Band II (A. Kruse, Hrsg.). Jahrbuch der Medizinischen Psychologie. Hofgreve Verlag. Göttingen, 1998, S. 251 ff.

Bauer, J., et al.: Das Burnout-Syndrom und seine Prävention im Schulalltag. Lehren und Lernen, 2001.

Bauer, J.: Integrating Psychiatry, Psychoanalysis, and Neuroscience. Psychotherapie – Psychosomatik – Medizinische Psychologie PPmP 51: 265, 2001.

Bauer, J.: Psychobiologie der Alzheimer-Krankheit. In: Integrierte Medizin (Th. von Uexküll, Hrsg.). Schattauer Verlag. Stuttgart, 2002.

Bauer, J., et al.: Burn-out und Wiedergewinnung seelischer Gesundheit am Arbeitsplatz. Psychotherapie – Psychosomatik – Medizinische Psychologie PPmP 53: 213, 2003.

Bauer, J.: Die Identifikation von Patienten mit verminderter Entgiftungsfunktion infolge Polymorphismen der P450-Entgiftungssystems. Deutsches Ärzteblatt Jg. 100, Heft 24, S. A 1654, 2003.

Bauer, J.: Psychotherapie und moderne Neurowissenschaft. In: Psyche und Soma (H. J. Mauthe, Hrsg.). Axept Verlag. Königslutter, 2003 (b).

Bauer, J.: Verbindungslinien zwischen Psychotherapie und Neurobiologie. bvvp Magazin. 2. Jahrgang, Ausgabe 3: 16, 2003 (c).

Bauer, J.: Das Gedächtnis des Körpers. Wie Beziehungen und Lebensstile unsere Gene steuern. Piper Taschenbuch. München, 2004.

Bauer, J.: Die Freiburger Schulstudie. SchulVerwaltung (Ausgabe Baden-Württemberg) 13. Jahrgang Nr. 12: 259, 2004.

Bauer, J.: Warum ich fühle, was du fühlst. Intuitive Kommunikation und das Geheimnis der Spiegelneurone. Hoffmann und Campe Verlag. Hamburg, 2005.

Bauer, J., Kächele, H.: Das Fach Psychosomatische Medizin: Seine Beziehung zur Neurobiologie und zur Psychiatrie. Psychotherapie 10: 14, 2005.

Bauer, J., et al.: Correlation between burnout syndrome and psychological and psychosomatic symptoms among teachers. International Archives of Occupational and Environmental Health 79: 199, 2006.

Bauer, J., Kächele, H.: Die Couch im Labor: Was passiert eigentlich in einer erfolgreichen Psychotherapie? Psychologie Heute 7/2006.

Baur, E., Fischer, E., Lenz, F.: Grundriß der menschlichen Erblichkeitslehre. Lehmann Verlag. München, 1923.

Beer, R.: Partnerschafts-Studie »Theratalk« des Instituts für Psychologie der Universität Göttingen. Wiedergegeben in »Focus« Nr. 19/2006, S. 140, 8. Mai 2006.

Bernardi, F. von: Deutschland und der nächste Krieg (Erstauflage 1912). Stuttgart, 6. Auflage 1913.

Berns, G. S.: Something funny happened to reward. Trends in Cognitive Sciences 8: 193, 2004.

Bierhaus, A., et al.: A mechanism converting psychosocial stress into mononuclear cell activation. Proceedings of the National Academy of Sciences PNAS 100: 1920, 2003.

Binding, K., Hoche, A.: Die Freigabe der Vernichtung lebensunwerten Lebens. Ihr Maß und ihre Form. Felix Meiner. Leipzig, 1920.

Blood, A. J., Zatorre, R. J.: Intensely pleasurable responses to music correlate with activity in brain regions implicated in reward and emotion. Proceedings of the National Academy of Sciences PNAS 98: 11818, 2001.

Bowirrat, A., Oscar-Berman, M.: Relationship between dopaminergic neutrotransmission, alcoholism, and reward deficiency syndrome. American Journal of Medical Genetics Part B. 132: 29, 2005.

Bredy, T. W., et al.: Peripubertal environment enrichment reverses the effects of maternal care on hippocampal development and glutamate receptor subunit expression. European Journal of Neuroscience 20: 1355, 2004.

Bremner, J. D.: Effects of traumatic stress on brain structure and function (review). Journal of Trauma and Dissociation 6: 51, 2005.

Brown, S., et al.: Passive music listening spontaneously engages limbic and paralimbic systems. NeuroReport 15: 2033, 2004.

Buchheim, A., et al.: Measuring adult attachment representation in an fMRI environment: Concepts and assessment. Psychopathology, in press.

Büchner, L.: Kraft durch Stoff. Verlag Meidinger Sohn. Frankfurt a.M., 3. Auflage 1856.

Büchner, L.: Der Mensch und seine Stellung in der Natur. Theodor Thomas Verlag. Leipzig, 2. Auflage 1872.

Büchner, L.: Die Macht der Vererbung und ihr Einfluß auf den moralischen und geistigen Fortschritt der Menschheit. Ernst Günthers Verlag. Leipzig, 1882.

Buiting, K.: Epigenetische Vererbung. Medizinische Genetik 3: 292, 2005.

Burgdorf, J., et al.: Converging evidence that 50 kHz ultrasonic vocalizations in rats are closely linked to reward and the mesolimbic dopamin system. Program No. 892.3. Washington, D.C.: Society for Neuroscience, 2005.

Buss, D.: Mord steckt in uns. Spiegel-Interview. Der Spiegel 35/2005, S. 146 (anlässlich der Veröffentlichung seines Buches »The Murderer Next Door: Why the Mind is Designed to Kill«).

Cacioppo, J. T., et al.: Loneliness and health: Potential mechanisms. Psychosomatic Medicine 64: 407, 2002.

Champagne, F. A., et al.: Variations in the nucleus accumbens dopamin associated with individual differences in maternal behavior in the rat. The Journal of Neuroscience 24: 4113, 2004.

Cramer, F.: Symphonie des Lebendigen. Insel Verlag. Frankfurt a.M., 1996.

Darwin, C. (1859): Über die Entstehung der Arten durch natürliche Zuchtwahl oder die Erhaltung der begünstigten Rassen im Kampfe ums Dasein. Parkland Verlag (MECO Buchproduktion Dreieich). Köln, 2002.

Darwin, C. (1871): Die Abstammung des Menschen. Voltmedia. Paderborn, 2005.

Darwin, C.: The Correspondence of Charles Darwin. Band 7. Cambridge University Press, 1991.

Darwin, F.: The life and letters of Charles Darwin. Appleton. New York, 1919.

Dawkins, R.: Das egoistische Gen. Rowohlt Verlag. Reinbek bei Hamburg, 1996 (vom Autor überarbeitete Ausgabe; Erstausgabe: The Selfish Gene. Oxford University Press, 1976).

De Chardin, T.: Der Mensch im Kosmos. Beck Verlag. München, 1999.

De Waal, F.: The empathic ape. New Scientist. 8. Oktober 2005.

Di Giulio, M.: The origin of the tRNA molecule. Journal of Theoretical Biology 226: 89, 2004.

Di Giulio, M.: The ocean abysses witnessed the origin of the genetic code. Gene 346: 7, 2005 (a).

Di Giulio, M.: The origin of the genetic code: theories and their relationships, a review. BioSystems 80: 175, 2005 (b).

Di Giulio, M.: Structuring the genetic code took place at acidic pH. Journal of Theoretical Biology (in press).

Doerfler, W.: DNA-Methylierung – ein wichtiges genetisches Si-

gnal in Biologie und Pathogenese. Medizinische Genetik 3: 260, 2005.
Dollard, J., et al.: Frustration and Aggression. Yale University Press. New Haven, Conn., 1939.
Driessen, M., et al.: MRI volumes of the hippocampus and the amygdala in female borderline personality disorder and the impact of early traumatisation. Archives of General Psychiatry 57: 1115, 2000.
Dugatin, L.: Kiss and make up. New Scientist. 7. Mai 2005.
Dutton, D.: The Abusive Personality. Guildford. New York 2002.
Eisenberg, L.: Are genes destiny? World Psychiatry 4: 1, 2005.
Eisenberger, N. L., et al.: Does rejection hurt? An fMRI study of social exclusion. Science 302: 290, 2003.
Ernst, J. M., Cacioppo, J. T.: Lonely hearts: Psychological perspectives on loneliness. Applied and Preventive Psychology 8: 1, 1999.
Esch, T., Stefano, G. B.: The neurobiology of pleasure, reward processes, addiction and their health implications. Neuroendocrinology Letters 25: 235, 2004.
Fangerau, H., Müller, I.: Das Standardwerk der Rassenhygiene im Urteil der Psychiatrie und Neurologie 1921–1940. Nervenarzt 73: 1039, 2002.
Fattore, L., et al.: Cannabinoids and Reward: Interactions with the Opioid System. Critical Reviews in Neurobiology 16: 141, 2004.
Finkelhor, D., et al.: The victimization of children and youth: A comprehensive, national survey. Child Maltreatment 10: 5, 2005.
Fischer, E.: Die Rehobother Bastards und das Bastardisierungsproblem beim Menschen. Gustav Fischer Verlag. Jena, 1913.
Forel, A.: Leben und Tod. Ein Vortrag. Ernst Reinhardt Verlag. München, 1908.
Forel, A.: Kulturbestrebungen der Gegenwart. Ernst Reinhardt Verlag. München, 1910.
Fraga, M. F., et al.: Epigenetic differences arise during the lifetime of monozygotic twins. Proceedings of the National Academy of Sciences PNAS 102: 10604, 2005.
Francis, D. D., et al.: Epigenetic sources of behavioral differences in mice. Nature Neuroscience 6: 445, 2003.
Friedman, E. M.: Social relationships, sleep quality, and interleukin-6 in aging women. Proceedings of the National Academy of Sciences PNAS 102: 18757, 2005.
Fries, A. B., et al.: Early experience in humans is associated with changes in neuropeptides critical for regulating social behavior.

Proceedings of the National Academy of Science PNAS 102: 17237, 2005.
Galton, D. J., et al.: Francis Galton and eugenics today. Journal of Medical Ethics 24: 99, 1998.
Geisler, H.: Die Gier nach Geld zerfrisst den Herrschern ihre Gehirne. Die Zeit, 11. November 2004.
Giles, L., et al.: Effects of social networks on 10 year survival in very old Australians. Journal of Epidemiology and Community Health 59: 574, 2005.
Gillespie, R.: The Hawthorne Experiments and the Politics of Experimentation. In: Jill G. Morawski (Ed.): The Rise of Experimentation in American Psychology. Yale University Press. New Haven, Conn., 1988.
Gobrogge, K. L., et al.: Mating-induced selective aggression and the underlying neurochemical mechanisms in male prairie voles. Program Mo. 7.14. Washington, D.C.: Society of Neuroscience, 2005.
Grape, C., et al.: Does singing promote well-being? An empirical study of professional and amateur singers during a singing lesson. Integrative Physiological and Behavioral Science 38: 65, 2003.
Gruber, M. von (1909): Vererbung, Auslese und Hygiene. Deutsche Medizinische Wochenschrift 46: S. 1993ff. und S. 2049ff.
Gürerk, Ö., et al.: The competitive advantage of sanctioning institutions. Science 312: 108, 2006.
Guthrie, R. D.: New carbon dates link climatic change with human colonization and Pleistocene extinctions. Nature 441: 207, 2006.
Haaf, T.: Epigenetische Genprogrammierung im frühen Säugerembryo: Mechanismen und Pathologie. Genetik 3: 275, 2005.
Haeckel, E.: Generelle Morphologie. Georg Reimer Verlag. Berlin, 1866.
Haeckel, E.: Natürliche Schöpfungsgeschichte. Georg Reimer Verlag. Berlin, 1868. (Zitate beziehen sich auf die 2. Auflage von 1870).
Haeckel, E.: Die Lebenswunder. Gemeinverständliche Studien über Biologische Philosophie. Alfred Kröner Verlag. Stuttgart, 1904.
Haeckel, E.: Ewigkeit. Georg Reimer Verlag. Berlin, 1917.
Härter, M., et al.: Externe Qualitätssicherung bei stationärer Depressionsbehandlung. Deutsches Ärzteblatt 101: A1970, 2004.
Hamilton, G.: Mother superior. New Scientist, 3. September 2005, S. 28.
Hamilton, W., et al.: Sexual reproduction as an adaption to resist parasites. Proceedings of the National Academy of Sciences 87: 3566, 1990.

Hawkley, L. C., et al.: Loneliness is a unique predictor of age-related differences in systolic blood pressure. Psychology and Aging (2006).

Hellstrom, I. C., et al.: Role of NGFI-A and MBD2 in the ex vivo regulation of epigenetic factors influencing glucocorticoid receptor expression. Program No. 633. Washington, D.C.: Society of Neuroscience, 2005.

Hiller, H. H.: Darwin darf nicht sterben. Laborjournal 7–8: 49, 2004.

Hiller, H. H.: Selection of the living Dead. Laborjournal online. www.laborjournal.de/editorials/102.html.

Hoche, A.: Jahresringe – Innenansicht eines Menschenlebens. Lehmann Verlag. München, 1935.

Holodynski, M.: Die Entwicklung der Leistungsmotivation im Vorschulalter. Zeitschrift für Entwicklungspsychologie und Pädagogische Psychologie 38: 2, 2006.

Holsboer, F., et al.: Blunted corticotropin response and normal cortisol response to human human corticotropin-releasing factor in depression. The New England Journal of Medicine 311: 1127, 1984.

Holsboer, F.: Psychiatric Implications of Altered Limbic-Hypothalamic-Pituitary-Adrenocortical Activity. European Archives of Psychiatry and Neurological Sciences 238: 302, 1989.

Holtzman, N. A.: Genetics and social class. Journal of Epidemiology and Community Health 56: 529, 2002.

Honneth, A.: Kampf um Anerkennung. Suhrkamp Verlag. Frankfurt a.M. 1992 (2. Auflage 1998).

Horsthemke, B.: Was ist Epigenetik? Medizinische Genetik 3: 251, 2005 (a).

Horsthemke, B.: Epimutationen bei menschlichen Erkrankungen. Medizinische Genetik 3: 286, 2005 (b).

Hötzendorf, C. von: Aus meiner Dienstzeit, Wien, 1921.

Hötzendorf, C. von: Private Aufzeichnungen (Ed. Kurt Peball). Wien, 1977.

Huber, D., et al.: Vasopressin and oxytocin excite distinct neuronal populations in the central amygdala. Science 308: 245, 2005.

Hyde, J. S.: The Gender Similarities Hypothesis. American Psychologist 60: 581, 2005.

Ikegami, A., Duvauchelle, C. L.: Dopamine mechanisms and cocaine reward. International Review of Neurobiology 62: 45, 2004.

Insel, T. R.: Is social attachment an addictive disorder? Physiology and Behavior 79: 351, 2003.

Insel, T., Fernald, R.: How the brain processes social information: Searching for the social brain. Annual Review of Neuroscience 27: 697, 2004.

James, W.: The Chicago School. Psychological Bulletin 1: 2, 1904.

Johnson, J. G., et al.: Television viewing and aggressive behavior during adolescence and adulthood. Science 295: 2468, 2002.

Kals, E.: Der Mensch nur ein zweckrationaler Entscheider? Zeitschrift für Politische Psychologie 7: 267, 1999.

Kant, I.: Kritik der praktischen Vernunft (1788).

Kärcher, J., Kals, E.: Gesundheitsversorgung als Konfliktfeld: Lösungsbeiträge der Gerechtigkeitspsychologie. Wirtschaftspsychologie Aktuell 4: 35, 2004.

Kautsky, K.: Medizinisches. Die Neue Zeit 10: 644–645, 1891.

Kautsky, K.: Vermehrung und Entwicklung in Natur und Gesellschaft. Stuttgart, 1910.

Kelley, A. E., Berridge, K. C.: The neuroscience of natural rewards: relevance to addictive drugs. The Journal of Neuroscience 22: 3306, 2002.

Kerr, D., et al.: Early life stress alters ability to adapt socially in adulthood in rhesus monkeys. Program No. 58.9. Washington, D.C.: Society of Neuroscience, 2005.

Keverne, E. B., Curley, J. P.: Vasopressin, oxytocin and social behaviour. Current Opinion in Neurobiology 14: 777, 2004.

Kiecolt-Glaser, J., et al.: Psychosocial modifiers of immuno competence in medical students. Psychosomatic Medicine 46: 7, 1984.

Kiecolt-Glaser, J., et al.: Hostile marital interactions, proinflammatory cytokine production, and wound healing. Archives of General Psychiatry 62: 1377, 2005.

Kirsch, P., et al.: Oxytocin modulates neural circuitry for social cognition and fear in humans. The Journal of Neuroscience 25: 11489, 2005.

Kitayama, N., et al.: Smaller volume of anterior cingular cortex in abuse-related posttraumatic stress disorder. Journal of Affective Disorders 90: 171, 2006.

Kivimäki, M., et al.: Justice at work and reduced risk of coronary heart disease among employees. Archives of Internal Medicine 165: 2245, 2005.

Kosfeld, M., et al.: Oxytocin increases trust in humans. Nature 435: 673, 2005.

Kranz, F. L., Ishai, A.: Face perception is modulated by gender and

sexual orientation. Program No. 74.18. Washington, D.C.: Society of Neuroscience, 2005.
Kreft, J. U., Bonhoeffer, S.: The evolution of groups of cooperating bacteria and the growth rate versus yield trade-off. Microbiology 151: 637, 2005.
Kurzban, R., Houser, D.: Experiments investigating cooperative types in humans. Proceedings of the National Academy of Sciences PNAS 102: 1805, 2005.
Laughlin, P. R., et al.: Groups perform better than best individuals on letters-to-numbers problems: Effects of group size. Journal of Personality and Social Psychology 90: 644, 2006.
Leary, M. (Hrsg.): Interpersonal rejection. Oxford University Press. New York, 2001.
Leary, M., et al.: Teasing, rejection, and violence. Aggression and Behavior 29: 202, 2003.
Leichsenring, F., et al.: The efficacy of short-term psychodynamic therapy in specific psychiatric disorders: a metaanalysis. Archives of General Psychiatry 61: 1208, 2004.
Lein, S., Reuter, G.: Heterochromatin and »Gene silencing«. Medizinische Genetik 3: 254, 2005.
Lenz, F.: Die Rasse als Wertprinzip. Zur Erneuerung der Ethik. Lehmann Verlag. München, 1933.
Li, S., et al.: Environmental exposure, DNA methylation, and gene regulation: Lessons from diethylstilbesterol-indiced cancers. Annals of the New York Academy of Sciences 983: 161, 2003.
Liu et al.: Maternal care, hippocampal glucocorticoid receptors, and hypothalamic-pituitary-adrenal responses to stress. Science 277: 1659, 1997.
Loeber, R., et al.: The prediction of violence and homicide in young men. Journal of Consulting and Clinical Psychology 73: 1074, 2005.
Lopez-Garcia, P., Moreira, D.: Metabolic symbiosis at the origin of eukaryotes. Trends in Biological Sciences TIBS 24: 88, 1999.
Lorberbaum, J. P., et al.: A potential role for thalamocingulate circuitry in human maternal behavior. Biological Psychiatry 51: 431, 2002.
MacDonald, G., Leary, M. R.: Why does social exclusion hurt? The relationship between social and physical pain. Psychological Bulletin 131: 202, 2005.
Maestripieri, D.: Early experience affects the intergenerational transmission of infant abuse in rhesus monkeys. Proceedings of the National Academy of Sciences PNAS 102: 9726, 2005.

Margulis, L.: Words as battle cries – symbiogenesis and the new field of endocytobiosis. BioScience 40: 673, 1990.
Margulis, L., Sagan, D.: Mystery Dance – Or the Evolution of Human Sexuality. Summit Books. New York, 1991.
Margulis, L.: Gaia is a tough bitch. In: John Brockmann: The Third Culture: Beyond the Scientific Revolution, Chapter 7. Simon and Schuster. New York, 1995.
Margulis, L.: Microbiological Collaboration in the Gaja Hypothesis. In: James Lovelock: The Gaja Hypothesis. Web Publication. Mountain Man Graphics, 1996. www.mountainman.com.au/gaja_lyn.html.
Margulis, L., et al.: The chimeric eukaryote. Proceedings of the National Academy of Sciences PNAS 97: 6954, 2000.
Margulis, L., Sagan, D.: Acquiring Genomes (forworded by Ernst Mayr). Basic Books. New York, 2002.
Margulis, L.: Imperfections and oddities in the origin of the nucleus. Paleobiology 31: 175, 2005.
Mavarez, J., et al.: Speciation by hybridization in Heliconius butterflies. Nature 441: 868, 2006.
Mazarweh, G.: Interview. Die Zeit vom 11. Mai 2006, S. 43.
Melis, A. P., et al.: Chimpanzees recruit the collaborators. Science 311: 1297, 2006.
Menon, V., Levitin, D. J.: The rewards of music listening: Response and physiological connectivity of the mesolimbic system. NeuroImage 28: 175, 2005.
Milgram, S.: Behavioral Study of Obedience. Journal of Abnormal and Social Psychology 67: 371, 1963.
Milgram, S.: Some Conditions of Obedience and Disobedience to Authority. Human Relations 18: 57, 1965.
Morgan, H., et al.: Epigenetic reprogramming in mammals. Human Molecular Genetics 14: R47, 2005.
Morris, C.: Interview. Die Zeit vom 19. August 2004.
Morris, C.: Darwins Suchmaschine. Frankfurter Allgemeine Zeitung vom 16. Juli 2005, S. 38.
Nelson, E. E., Panksepp, J.: Brain Substrates of Infant-Mother Attachment: Contributions of Opioids, Oxytocin, and Norepinephrine. Neuroscience and Biobehavioral Reviews 22: 437, 1998.
Nielsen, K. M., et al.: Danish singles have a twofold risk of acute coronary syndrome. J. Epidemiol. Community Health 60: 721, 2006.
Okamoto, N., Inouye, I.: A secondary symbiosis in progress? Science 310: 287, 2005.

Panksepp, J.: At the interface of affective, behavioral, and cognitive neuroscience: Decoding the emotional feelings of the brain. Brain and Cognition 52: 4, 2003.

Panksepp, J.: Why does separation distress hurt? Comment on MacDonald and Leary. Psychological Bulletin 131: 224, 2005 (a).

Panksepp, J.: Beyond a joke: From animal laughter to human joy. Science *308*: 62, 2005 (b).

Paton, J. J., et al.: Context-dependent representation of reinforcement value in monkey amygdala. Program No. 12.12. Washington, D.C.: Society of Neuroscience, 2005.

Patterson, N., et al.: Genetic evidence for complex speciation of humans and chimpanzees. Nature doi: 10.1038/nature 04789, May 2006.

Penny, D., et al.: Testing fundamental evolutionary hypotheses. Journal of Theoretical Biology 233: 377, 2003.

Pereto, J., et al.: Phylogenetic analysis of eukaryotic thiolases suggests multiple proteobacterial origins. Journal of Molecular Evolution 61: 65, 2005.

Pfeiffer et al.: Cooperation and competition in the evolution of ATP-producing pathways. Science 292: 504, 2001.

Ploetz, A.: Die Tüchtigkeit. Berlin, 1895 (a).

Ploetz, A.: Ableitung einer Rassenhygiene und ihrer Beziehung zur Ethik. Vierteljahresschrift für wissenschaftliche Philosophie 19: 370, 1895 (b).

Pomarenski, A. J., et al.: Influence of early conditions on acute sensitizations to amphetamine. Program No. 113.4. Washington, D.C.: Society of Neuroscience, 2005.

Poole, A., et al.: Confounded cytosine! Tinkering and the evolution of DNA. Nature Reviews 2: 147, 2001.

Poole, A., et al.: Prokaryote and eukaryote evolvability. BioSystems 69: 163, 2003.

Poole, A., Logan, D. T.: Modern mRNA proofreading and repair: Clues that the last universal common ancestor possessed a RNA genome. Molecular Biology and Evolution 22: 1444, 2005.

Prawitt, D., Zabel, B.: Krebsepigenetik. Medizinische Genetik 3: 296, 2005.

Ragnauth, A. K., et al.: Female oxytocin gene-knockout mice, in a seminatural environment, display exaggerated aggressive behavior. Genes Brain Behavior 4: 229, 2005.

Ruden, D. M., et al.: Hsp90 and environmental impacts on epigenetic state: a model for the trans-generational effects of diesthylstil-

besterol on uterine development and cancer. Human Molecular Genetics 14: R149, 2005.
Sageman, M.: Understanding Terror Networks. University of Pennsylvania Press. Philadelphia, 2004. Zusammenfassung im Internet: www.fpri.org/enotes/20041101.middleeast.sageman.
Sanfey, A. G., et al.: The neural basis of economic decision-making in the ultimatum game. Science 300: 1755, 2003.
Schallmeyer, W.: Die drohende physische Entartung der Kulturvölker. Heusers Verlag. Berlin, 1891.
Schallmeyer, W.: Vererbung und Auslese im Lebenslauf der Völker. Jena, 1903.
Scherer, S., Junker, R.: Evolution. In: Enzyklopädie Naturwissenschaft und Technik, 8. Ergänzungslieferung, Februar 2003. Ecomed Verlagsgesellschaft.
Scheub, U.: Das falsche Leben. Piper Verlag. München, 2006.
Schirrmacher, F.: Minimum. Vom Vergehen und Neuentstehen unserer Gemeinschaft. Blessing. München, 2006.
Schmidt-Lachenmann, et al.: Jugendgesundheitsstudie. Selbstverlag. Stuttgart, 2000. (erhältlich über das Gesundheitsamt Stuttgart, Frau Dr. Schmidt-Lachenmann).
Schmuhl, H. W. (Hrsg.): Rassenforschung an Kaiser-Wilhelm-Instituten vor und nach 1933. Wallstein Verlag. Göttingen, 2003.
Schwartz, J. H.: Toward resolving almost 150 years of the Darwinism-Evo-Devo debate: the difference between the emergence and persistence of novelty. Vortrag an der ETH Zürich (Zentrum Geschichte des Wissens). 22. Mai 2006.
Seckl, J. R., Meaney, M.: Glucocorticoid programming. Annals of the New York Academy of Sciences 1032: 63, 2004.
Singer, T., et al.: Empathic neural responses are modulated by the perceived fairness of others. Nature 439: 466, 2006.
Stöcker, C.: Rückkehr der Rassenlehre. »Spiegel Online« vom 4. Mai 2005.
Stöcker, H. (1914): Geburtenrückgang und Monismus. In: Der Düsseldorfer Monistentag (Wilhelm Blossfeldt, Hrsg.). Leipzig, 1914.
Strassmann, J., Queller, D.: Sociobiology goes micro. ASM News 70: 526, 2004.
Takayanagi, Y., et al.: Pervasive social deficits, but normal parturition, in oxytocin receptor-deficient mice. PNAS 102: 16096, 2005.
Twenge, J. M., et al.: If you can't join them, beat them. Journal of Personality and Social Psychology 81: 1085, 2001.

Twenge, J. M.: Effects of social exclusion in cognitive processes. Journal of Personality and Social Psychology 83: 817, 2002.
Twenge, J. M., et al.: Social exclusion and the deconstructed state. Journal of Personality and Social Psychology 85: 409, 2003.
Uexküll, J. J. von: Theoretische Biologie. Springer. Berlin, 2. Auflage 1928.
Uexküll, J. J. von: Bedeutungslehre. Barth Verlag. Leipzig, 1940.
Uvnas-Moberg, K., Petersson, M.: Oxytocin, ein Vermittler von Antistress, Wohlbefinden, sozialer Interaktion, Wachstum und Heilung. Zeitschrift für Psychosomatische Medizin und Psychotherapie 51: 57, 2005.
Vangelisti, A. L.: Communication in the Family. Erlbaum Assoc. Mahwah, N.J., 2004.
Velicer, G., Yu, Y.: Evolution of novel cooperative swarming in the bacterium Myxococcus xanthus. Nature 425: 75, 2003.
Vermetten, E., et al.: Hippocampal and amygdalar volumes in dissociative identity disorder. American Journal of Psychiatry 163: 630, 2006.
Vythilingam, M., et al.: Childhood trauma associated with smaller hippocampal volume in women with major depression. American Journal of Psychiatry 159: 2072, 2002.
Walter, J., Paulsen, M.: Genomic imprinting – Evolution eines neuen Konzepts der Genregulation bei Säugetieren. Medizinische Genetik 3: 270, 2005.
Warneken, F., Tomasello, M.: Altruistic helping in human infants and young chimpanzees. Science 311: 1301, 2006.
Watts, K. D., et al.: Deficits in intracranial self-stimulation reward from neonatal maternal separation. Program No. 58.12. Washington, D.C.: Society of Neuroscience, 2005.
Weaver, I. C. G., et al.: Epigenetic programming by maternal behavior. Nature Neuroscience 7: 1, 2004.
Weikart, R.: From Darwin to Hitler. Evolutionary ethics, eugenics, and racism in Germany. Palgrave Macmillan. New York, 2004.
Weismann, A.: Über die Dauer des Lebens. In: ders.: Aufsätze über Vererbung und verwandte biologische Fragen. Gustav Fischer Verlag. Jena, 1892 (a).
Weismann, A.: Über den Rückschritt in der Natur. In: ders.: Aufsätze über Vererbung und verwandte biologische Fragen. Gustav Fischer Verlag. Jena, 1892 (b).
Weissmann, F., Lyko, F.: Cooperative interactions between epigenetic modifications and their function in the regulation of chromosome architecture. BioEssays 25: 792, 2003.

Winslow, J. T., Insel, T. R.: Neuroendocrine basis of social recognition. Current Opinion in Neurobiology 14: 248, 2004.
Wise, R. A.: Dopamine, leaning and motivation. Nature Reviews Neuroscience 5: 1, 2004.
Young, L., Wang, Z.: The neurobiology of pair bonding. Nature Neuroscience 7: 1048, 2004.
Zak, P. J., et al.: The neuroeconomics of distrust: Sex differences in behavior and physiology. Cognitive Neuroscience Foundations of Behavior 95: 360, 2005 (a).
Zak, P. J., et al.: Oxytocin is associated with human trustworthiness. Hormones and Behavior 48: 522, 2005 (b).
Zak, P. J.: Trust: A temporary human attachment faciliated by oxytocin. Behavioral and Brain Sciences 28: 368, 2005 (c).
Zatorre, R.: Music, the food of neuroscience? Nature 434: 312, 2005.
Zellner, M. R., Ranaldi, R.: Neonatal isolation reduces conditioned reward. Program No. 58.13. Washington, D.C.: Society of Neuroscience, 2005.
Zhang, T.-Y., et al.: Maternal programming of individual differences in defensive responses in the rat. Annals of the New York Academy of Sciences 1032: 85, 2004.
Ziegert, B., et al.: Psychische Auffälligkeiten von Kindern und Jugendlichen in der allgemeinärztlichen Praxis. Deutsches Ärzteblatt 99: A1436, 2002.
Zubieta, J. K., et al.: Placebo effects mediated by endogenous opioid activity on μ-opioid receptors. The Journal of Neuroscience 25: 7754, 2005.
Zubieta, J. K., et al.: Belief or Need? Accounting for individual variations in the neurochemistry of the placebo effect. Brain, Behavior, and Immunity (in press).

Register